사고력 수학 소마가 개발한 연산학습의 새 기준!!
소마의 마술같은 원리셈

소마셈

C7
3학년

수학이 즐거워지는 특별한 수학교실
소마에서 개발한 연산교재 소마셈

소마셈

2002년 대치소마 개원 이후로 끊임없는 교재 연구와 교구의 개발은 소마의 자랑이자 자부심입니다. 교구, 게임, 토론 등의 다양한 활동식 수업으로 스스로 문제해결능력을 키우고, 아이들이 수학에 대한 흥미와 자신감을 가질 수 있도록 차별성 있는 수업을 해 온 소마에서 연산 학습의 새로운 패러다임을 제시합니다.

연산 교육의 현실

연산 교육의 가장 큰 폐해는 '초등 고학년 때 연산이 빠르지 않으면 고생한다.'는 기존 연산 학습지의 왜곡된 마케팅으로 인해 단순 반복을 통한 기계적 연산을 강조하는 것입니다. 하지만, 기계적 반복을 위주로 하는 연산은 개념과 원리가 빠진 연산 학습으로써 아이들이 수학을 싫어하게 만들 뿐 아니라 사고의 확장을 막는 학습방법입니다.

초등수학 교과과정과 연산

초등교육과정에서는 문자와 기호를 사용하지 않고 말로 풀어서 연산의 개념과 원리를 설명하다가 중등교육과정부터 문자와 기호를 사용합니다. 교과서를 살펴보면 모든 연산의 도입에 원리가 잘 설명되어 있습니다. 요즘 현실에서는 연산의 원리를 묻는 서술형 문제도 많이 출제되고 있는데 연산은 연습이 우선이라는 인식이 아직도 지배적입니다.

연산 학습은 어떻게?

연산 교육은 별도로 떼어내어 추상적인 숫자나 기호만 가지고 다뤄서는 절대로 안됩니다. 구체물을 가지고 생각하고 이해한 후, 연산 연습을 하는 것이 필요합니다. 또한, 속도보다 정확성을 위주로 학습하여 실수를 극복할 수 있는 좋은 습관을 갖추는 데에 초점을 맞춰야 합니다.

소마셈 연산학습 방법

 10이 넘는 한 자리 덧셈 **구체물을 통한 개념의 이해**

덧셈과 뺄셈의 기본은 수를 세는 데에 있습니다. 8+4는 8에서 1씩 4번을 더 센 것이라는 개념이 중요합니다. 10의 보수를 이용한 받아 올림을 생각하면 8+4는 (8+2)+2지만 연산 공부를 시작할 때에는 덧셈의 기본 개념에 충실한 것이 좋습니다. 이 책은 구체물을 통해 개념을 이해할 수 있도록 구체적인 예를 든 연산 문제로 구성하였습니다.

 가로셈 **가로셈을 통한 수에 대한 사고력 기르기**

세로셈이 잘못된 방법은 아니지만 연산의 원리는 잊고 받아 올림한 숫자는 어디에 적어야 하는지만을 기억하여 마치 공식처럼 풀게 합니다. 기계적으로 반복하는 연습은 생각없이 연산을 하게 만듭니다. 가로셈을 통해 원리를 생각하고 수를 쪼개고 붙이는 등의 과정에서 키워질 수 있는 수에 대한 사고력도 매우 중요합니다.

 곱셈구구 **곱셈도 개념 이해를 바탕으로**

곱셈구구는 암기에만 초점을 맞추면 부작용이 큽니다. 곱셈은 덧셈을 압축한 것이라는 원리를 이해하며 구구단을 외움으로써 연산을 빨리 할 수 있다는 것을 알게 해야 합니다. 곱셈구구를 외우는 것도 중요하지만 곱셈의 의미를 정확하게 아는 것이 더 중요합니다. 4×3을 할 줄 아는 학생이 두 자리 곱하기 한 자리는 안 배워서 45×3을 못 한다고 말하는 일은 없도록 해야 합니다.

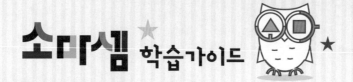

소마셈 학습가이드

K단계 (5, 6, 7세) · 연산을 시작하는 단계

뛰어세기, 거꾸로 뛰어세기를 통해 수의 연속한 성질(linearity)을 이해하고 덧셈, 뺄셈을 공부합니다. 각 권의 호흡은 짧지만 일관성 있는 접근으로 자연스럽게 나선형식 반복학습의 효과가 있도록 하였습니다.

학습대상 : 연산을 시작하는 아이와 한 자리 수 덧셈을 구체물(손가락 등)을 이용하여 해결하는 아이

학습목표 : 수와 연산의 튼튼한 기초 만들기

P단계 (7세, 1학년) · 받아올림이 있는 덧셈, 뺄셈을 배울 준비를 하는 단계

5, 6, 9 뛰어세기를 공부하면서 10을 이용한 더하기, 빼기의 편리함을 알도록 한 후, 가르기와 모으기의 집중학습으로 보수 익히기, 10의 보수를 이용한 덧셈, 뺄셈의 원리를 공부합니다.

학습대상 : 받아올림이 없는 한 자리 수의 덧셈을 할 줄 아는 학생

학습목표 : 받아올림이 있는 연산의 토대 만들기

A단계 (1학년) · 초등학교 1학년 교과과정 연산

받아올림이 있는 한 자리 수의 덧셈, 뺄셈은 연산 전체에 매우 중요한 단계입니다. 원리를 정확하게 알고 A1에서 A4까지 총 4권에서 한 자리 수의 연산을 다양한 과정으로 연습하도록 하였습니다.

학습대상 : 초등학교 1학년 수학교과과정을 공부하는 학생

학습목표 : 10의 보수를 이용한 받아올림이 있는 덧셈, 뺄셈

B단계 (2학년) · 초등학교 2학년 교과과정 연산

두 자리, 세 자리 수의 연산을 다룬 후 곱셈, 나눗셈을 다루는 과정에서 곱셈구구의 암기를 확인하기보다는 곱셈구구를 외우는데 도움이 되고, 곱셈, 나눗셈의 원리를 확장하여 사고할 수 있도록 하는데 초점을 맞추었습니다.

학습대상 : 초등학교 2학년 수학교과과정을 공부하는 학생

학습목표 : 덧셈, 뺄셈의 완성 / 곱셈, 나눗셈의 원리를 정확하게 알고 개념 확장

C단계 (3학년) · 초등학교 3, 4학년 교과과정 연산

B단계까지의 소마셈은 다양한 문제를 통해서 학생들이 즐겁게 연산을 공부하고 원리를 정확하게 알게 하는데 초점을 맞추었다면, C단계는 3학년 과정의 큰 수의 연산과 4학년 과정의 혼합 계산, 괄호를 사용한 식 등, 필수 연산의 연습을 충실히 할 수 있도록 하였습니다.

학습대상 : 초등학교 3, 4학년 수학교과과정을 공부하는 학생

학습목표 : 큰 수의 곱셈과 나눗셈, 혼합 계산

D단계 (4학년) · 초등학교 4, 5학년 교과과정 연산

분모가 같은 분수의 덧셈과 뺄셈, 소수의 덧셈과 뺄셈을 공부하여 초등 4학년 과정 연산을 마무리하고 초등 5학년 연산과정에서 가장 중요한 약수와 배수, 분모가 다른 분수의 덧셈과 뺄셈을 충분히 익힐 수 있도록 하였습니다.

학습대상 : 초등학교 4, 5학년 수학교과과정을 공부하는 학생

학습목표 : 분모가 같은 분수의 덧셈과 뺄셈, 소수의 덧셈과 뺄셈, 분모가 다른 분수의 덧셈과 뺄셈

소마셈 단계별 학습내용

K단계 추천연령 : 5, 6, 7세

단계	K1	K2	K3	K4
권별 주제	10까지의 더하기와 빼기 1	20까지의 더하기와 빼기 1	10까지의 더하기와 빼기 2	20까지의 더하기와 빼기 2
단계	K5	K6	K7	K8
권별 주제	10까지의 더하기와 빼기 3	20까지의 더하기와 빼기 3	20까지의 더하기와 빼기 4	7까지의 가르기와 모으기

P단계 추천연령 : 7세, 1학년

단계	P1	P2	P3	P4
권별 주제	30까지의 더하기와 빼기 5	30까지의 더하기와 빼기 6	30까지의 더하기와 빼기 10	30까지의 더하기와 빼기 9
단계	P5	P6	P7	P8
권별 주제	9까지의 가르기와 모으기	10 가르기와 모으기	10을 이용한 더하기	10을 이용한 빼기

A단계 추천연령 : 1학년

단계	A1	A2	A3	A4
권별 주제	덧셈구구	뺄셈구구	세 수의 덧셈과 뺄셈	□가 있는 덧셈과 뺄셈
단계	A5	A6	A7	A8
권별 주제	(두 자리 수) + (한 자리 수)	(두 자리 수) - (한 자리 수)	두 자리 수의 덧셈과 뺄셈	□가 있는 두 자리 수의 덧셈과 뺄셈

B단계 추천연령 : 2학년

단계	B1	B2	B3	B4
권별 주제	(두 자리 수) + (두 자리 수)	(두 자리 수) - (두 자리 수)	세 자리 수의 덧셈과 뺄셈	덧셈과 뺄셈의 활용
단계	B5	B6	B7	B8
권별 주제	곱셈	곱셈구구	나눗셈	곱셈과 나눗셈의 활용

C단계 추천연령 : 3학년

단계	C1	C2	C3	C4
권별 주제	두 자리 수의 곱셈	두 자리 수의 곱셈과 활용	두 자리 수의 나눗셈	세 자리 수의 나눗셈과 활용
단계	C5	C6	C7	C8
권별 주제	큰 수의 곱셈	큰 수의 나눗셈	혼합 계산	혼합 계산의 활용

D단계 추천연령 : 4학년

단계	D1	D2	D3	D4
권별 주제	분모가 같은 분수의 덧셈과 뺄셈(1)	분모가 같은 분수의 덧셈과 뺄셈(2)	소수의 덧셈과 뺄셈	약수와 배수
단계	D5	D6		
권별 주제	분모가 다른 분수의 덧셈과 뺄셈(1)	분모가 다른 분수의 덧셈과 뺄셈(2)		

구성과 특징

수 이야기

생활 속의 수 이야기를 통해 수와 연산의 이해를 돕습니다. 수의 역사나 재미있는 연산 문제를 접하면서 수학이 재미있는 공부가 되도록 합니다.

원리

가장 기본적인 연산의 원리를 소개합니다. 이때 다양한 방법을 제시하되 가장 효과적인 방법을 적용할 수 있도록 단계적으로 접근하여 충분한 원리의 이해를 돕습니다.

③

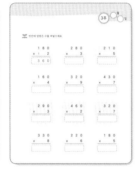

연습

원리의 이해를 바탕으로 연산이 익숙해 지도록 연습합니다. 먼저 반복적인 연산 연습 후에 나아가 배운 원리를 활용하여 확장된 문제를 해결합니다.

④

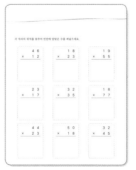

Drill (보충학습)

주차별 주제에 대한 연습이 더 필요한 경우 보충학습을 활용합니다.

 연산과정의 확인이 필수적인 주제는 Drill 의 양을 2배로 담았습니다.

신비로운 수, 3과 7

예로부터 3과 7은 신비롭고 행운을 주는 수로 대접을 받았어요. 신이 세상을 창조하는 데 걸린 시간을 7일이라고 해서 우리는 7일을 일주일이라고 말하고, 동서양의 여러 가지 단어들 속에서 유독 3과 7이 많이 등장합니다.

3과 7이 합쳐진 수로는 37과 73이 있는데, 이 두 수는 모두 재미있는 성질을 가지고 있어요. 37에 어떤 수를 곱하면 다음과 같은 곱들을 얻을 수 있답니다.

$$37 \times 3 = 111 \qquad 37 \times 18 = 666$$
$$37 \times 6 = 222 \qquad 37 \times 21 = 777$$
$$37 \times 9 = 333 \qquad 37 \times 24 = 888$$
$$37 \times 12 = 444 \qquad 37 \times 27 = 999$$
$$37 \times 15 = 555$$

또, 73에 어떤 수를 곱하면 다음과 같은 곱들을 얻을 수 있는데, 곱에서 일의 자리 숫자가 9, 8, 7, 6, …으로 줄어드는 것을 알 수 있답니다.

$$73 \times 3 = 219 \qquad 73 \times 18 = 1314$$
$$73 \times 6 = 438 \qquad 73 \times 21 = 1533$$
$$73 \times 9 = 657 \qquad 73 \times 24 = 1752$$
$$73 \times 12 = 876 \qquad 73 \times 27 = 1971$$
$$73 \times 15 = 1095$$

소마셈 C7 - 1주차

곱셈과 나눗셈이
섞여 있는 식

덧셈과 뺄셈이 섞여 있는 식

 □ 안에 알맞은 수를 써넣어 차례로 계산하세요.

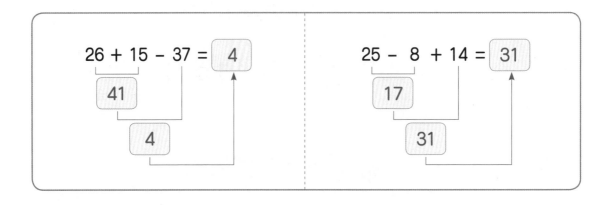

$$26 + 15 - 37 = \boxed{4}$$

$$\boxed{41}$$

$$\boxed{4}$$

$$25 - 8 + 14 = \boxed{31}$$

$$\boxed{17}$$

$$\boxed{31}$$

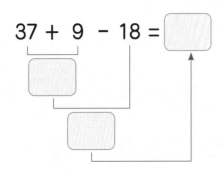

$$37 + 9 - 18 = \boxed{}$$

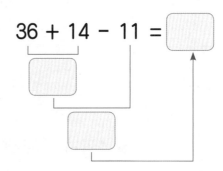

$$36 + 14 - 11 = \boxed{}$$

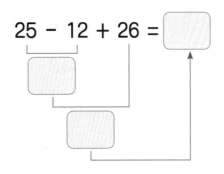

$$25 - 12 + 26 = \boxed{}$$

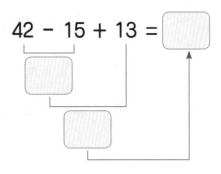

$$42 - 15 + 13 = \boxed{}$$

 TIP

덧셈과 뺄셈이 섞여 있는 식은 앞에서부터 차례로 계산합니다.

□ 안에 알맞은 수를 써넣어 차례로 계산하세요.

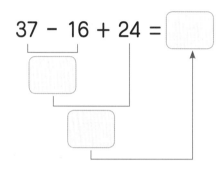

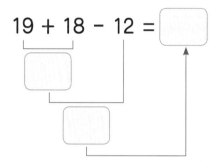

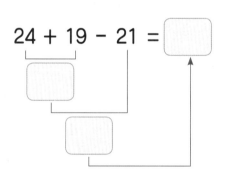

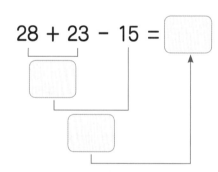

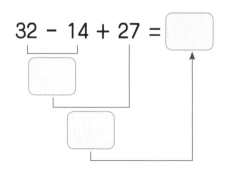

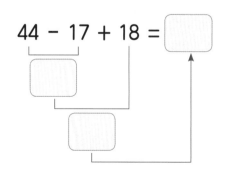

□ 안에 알맞은 수를 써넣어 차례로 계산하세요.

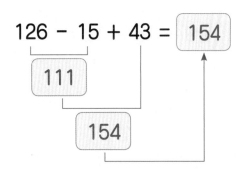

126 − 15 + 43 = 154
111
154

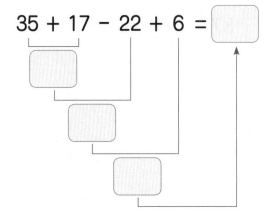

35 + 17 − 22 + 6 =

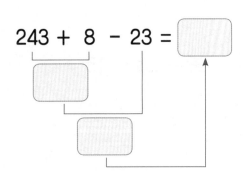

243 + 8 − 23 =

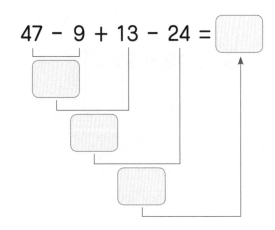

47 − 9 + 13 − 24 =

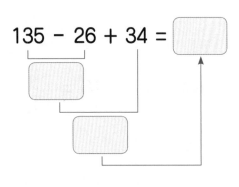

135 − 26 + 34 =

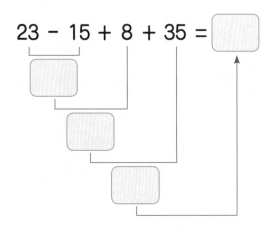

23 − 15 + 8 + 35 =

곱셈과 나눗셈이 섞여 있는 식

 □ 안에 알맞은 수를 써넣어 차례로 계산하세요.

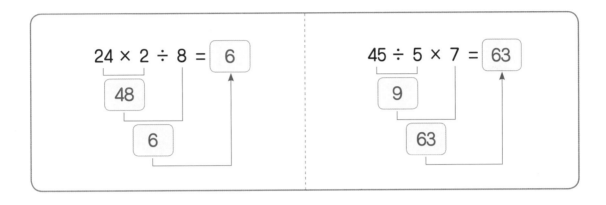

$24 \times 2 \div 8 =$ 6

48

6

$45 \div 5 \times 7 =$ 63

9

63

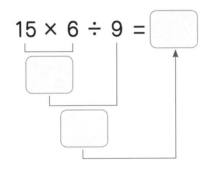

$15 \times 6 \div 9 =$

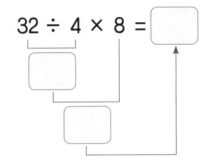

$32 \div 4 \times 8 =$

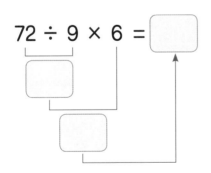

$72 \div 9 \times 6 =$

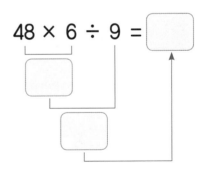

$48 \times 6 \div 9 =$

 TIP

곱셈과 나눗셈이 섞여 있는 식은 앞에서부터 차례로 계산합니다.

 □ 안에 알맞은 수를 써넣어 차례로 계산하세요.

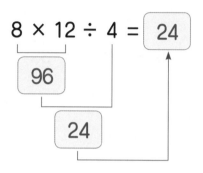

8 × 12 ÷ 4 = 24

96

24

15 ÷ 5 × 8 =

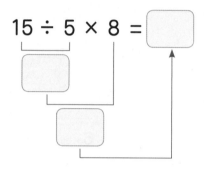

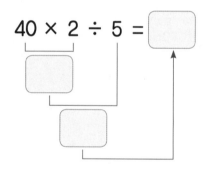

40 × 2 ÷ 5 =

35 ÷ 7 × 8 =

84 ÷ 4 × 3 =

24 × 8 ÷ 6 =

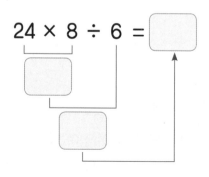

□ 안에 알맞은 수를 써넣어 차례로 계산하세요.

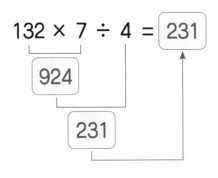

$132 \times 7 \div 4 = \boxed{231}$

924

231

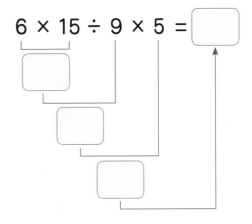

$6 \times 15 \div 9 \times 5 = $

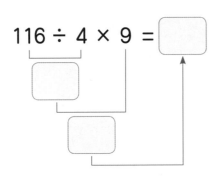

$116 \div 4 \times 9 = $

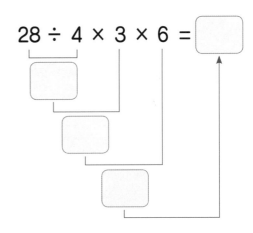

$28 \div 4 \times 3 \times 6 = $

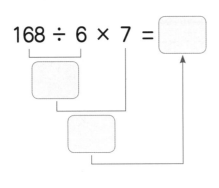

$168 \div 6 \times 7 = $

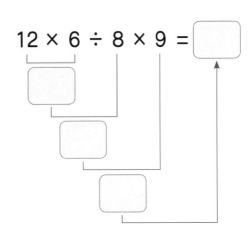

$12 \times 6 \div 8 \times 9 = $

3 일 차 크기 비교

 다음을 계산하고, 계산 결과의 크기를 비교하여 ○ 안에 >, =, <를 알맞게 써넣으세요.

28 + 14 - 22 = [20]   < (<)   8 × 16 ÷ 4 = [32]
　42　　　　　　　　　　　　　128
　　　20　　　　　　　　　　　　32

43 - 19 - 4 = [ ]   ( )   32 ÷ 4 × 12 = [ ]

14 + 36 - 16 = [ ]   ( )   16 × 7 ÷ 8 = [ ]

137 - 28 + 21 = [ ]   ( )   115 × 4 ÷ 5 = [ ]

다음을 계산하고, 계산 결과의 크기를 비교하여 ○ 안에 >, =, <를 알맞게 써넣으세요.

$34 - 18 + 14 =$ ☐   ○ $36 × 5 ÷ 6 =$ ☐

$151 + 7 - 16 =$ ☐   ○ $12 ÷ 3 × 5 × 4 =$ ☐

$18 + 14 - 21 + 8 =$ ☐ ○ $48 × 4 ÷ 8 =$ ☐

$26 - 8 + 35 - 17 =$ ☐ ○ $15 × 6 ÷ 9 × 21 =$ ☐

혼합 계산 퍼즐

🌱 ◯ 안의 수는 나누고, ◇ 안의 수는 곱해서 빈칸에 알맞은 수를 써넣으세요.

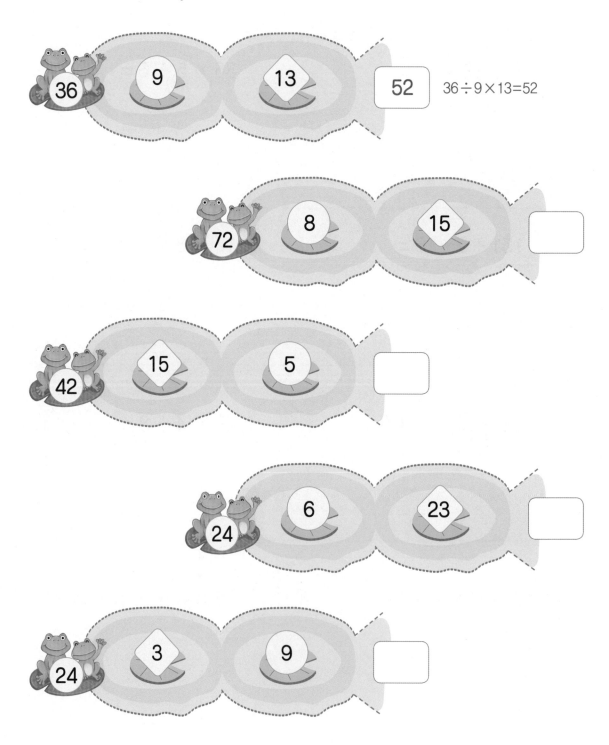

$36 \div 9 \times 13 = 52$

○안의 수는 나누고, ◇안의 수는 곱해서 빈칸에 알맞은 수를 써넣으세요.

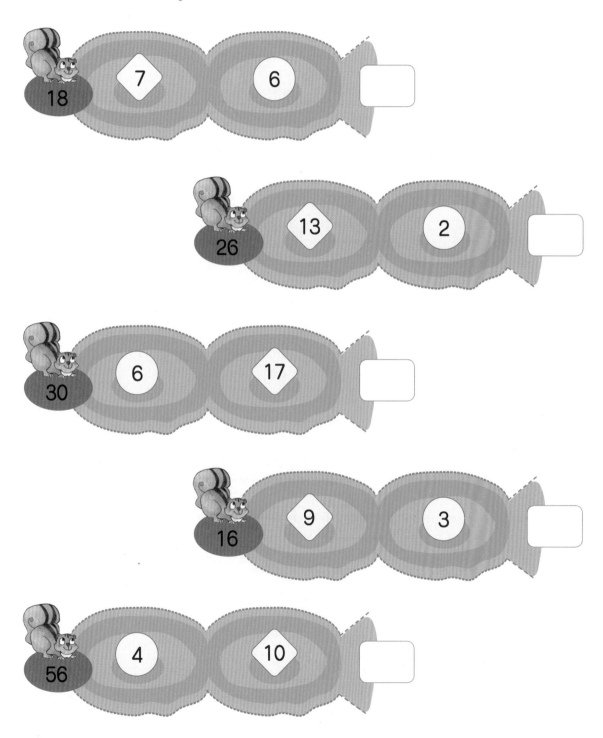

🌱 ◯ 안의 수는 나누고, ◇ 안의 수는 곱해서 빈칸에 알맞은 수를 써넣으세요.

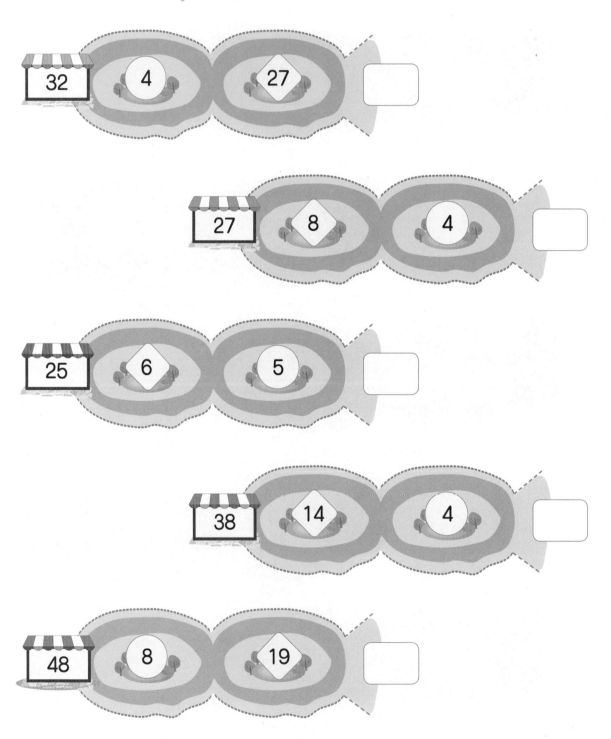

5 일 차 문장제

 다음을 읽고 알맞은 식을 쓰고, 답을 구하세요.

> 정현이네 반 학생 36명이 4명씩 모둠이 되어 미술 수업을 하려고 합니다.
> 각 모둠에 찰흙을 3개씩 나누어 주려면 필요한 찰흙은 모두 몇 개일까요?

① 만들 수 있는 전체 모둠의 수를 알아보는 식을 세워 보세요.

$$36 \div \boxed{} = \boxed{} \ \text{개}$$

② 각 모둠에 찰흙을 3개씩 주었을 때 필요한 찰흙의 수를 알아보는 식을 세워 보세요.

$$\boxed{} \times 3 = \boxed{} \ \text{개}$$

③ 미술 수업에 필요한 찰흙의 수를 알아보기 위하여 두 식을 하나의 식으로 만들어
보세요.

$$36 \div \boxed{} \times \boxed{} = \boxed{} \ \text{개}$$

 다음을 읽고 알맞은 식을 쓰고, 답을 구하세요.

세희의 이모가 한 봉지에 16개씩 들어 있는 귤을 2봉지 사 오셨습니다. 이 귤을 세희네 가족 4명이 똑같이 나누어 먹으려고 합니다. 한 사람이 먹는 귤은 몇 개일까요?

식 : 16 × 2 ÷ 4 = 8

 개

형우네 학교 학생 140명이 미술관으로 견학을 가기 위해 버스 한 대에 20명씩 탔습니다. 각 버스에 미술관 안내 책자가 8권씩 놓여 있다면, 버스에 놓인 안내 책자는 모두 몇 권일까요?

식 :

 권

다음을 읽고 알맞은 식을 쓰고, 답을 구하세요.

은희는 연필 49자루를 7자루씩 묶어서 친구들에게 나누어 주려고 합니다. 연필 한 묶음에 지우개도 3개씩 넣어 주려면 필요한 지우개는 모두 몇 개일까요?

식 :

         개

희주네 반 학생 30명이 6명씩 한 모둠이 되어 피구를 하려고 합니다. 각 모둠에 공을 2개씩 나누어 주려면 필요한 공은 모두 몇 개일까요?

식 :

         개

정주의 어머니께서 한 봉지에 15개씩 들어 있는 딸기를 4봉지 사 오셨습니다. 이 딸기를 정주네 가족 3명이 똑같이 나누어 먹으려고 합니다. 한 사람이 먹는 딸기는 몇 개일까요?

식 :

         개

다음을 읽고 알맞은 식을 쓰고, 답을 구하세요.

용주는 어제 수학 문제 16개를 풀었고, 오늘은 어제의 3배만큼 문제를 더 풀었습니다. 만약 용주가 오늘 푼 문제 수를 이틀 동안 똑같은 개수만큼 나누어 풀려면, 하루에 몇 개씩 풀어야 할까요?

식 :

개

선생님께서 연필 7타를 6명의 학생에게 똑같게 나누어 주려고 합니다. 한 사람에게 몇 자루씩 나누어 주면 될까요?

식 :

자루

문구점에서 공책 85권을 5권씩 묶어서 팔려고 합니다. 이 공책을 한 묶음에 500원씩 받고 모두 팔았습니다. 공책을 팔고 받은 돈은 모두 얼마일까요?

식 :

원

소마셈 C7 – 2주차

덧셈과 뺄셈,
곱셈이 섞여 있는 식

곱셈 먼저 계산하기

 □ 안에 알맞은 수를 써넣어 차례로 계산하세요.

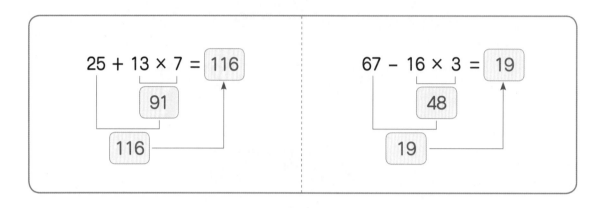

$25 + 13 × 7 = \boxed{116}$
$\boxed{91}$
$\boxed{116}$

$67 - 16 × 3 = \boxed{19}$
$\boxed{48}$
$\boxed{19}$

$58 + 9 × 5 = \boxed{}$

$72 - 4 × 8 = \boxed{}$

$80 - 14 × 4 = \boxed{}$

$33 + 15 × 6 = \boxed{}$

TIP

덧셈과 뺄셈이 섞여 있는 식은 곱셈을 먼저 계산한 뒤, 차례로 계산합니다.

□ 안에 알맞은 수를 써넣어 차례로 계산하세요.

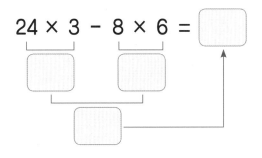

$24 \times 3 - 8 \times 6 =$ ☐

$17 \times 6 + 16 \times 4 =$ ☐

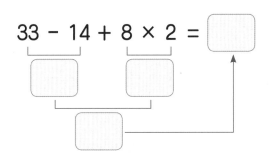

$33 - 14 + 8 \times 2 =$ ☐

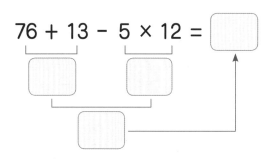

$76 + 13 - 5 \times 12 =$ ☐

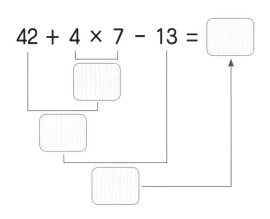

$42 + 4 \times 7 - 13 =$ ☐

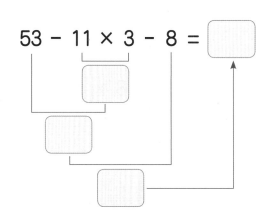

$53 - 11 \times 3 - 8 =$ ☐

2주

 □ 안에 알맞은 수를 써넣어 차례로 계산하세요.

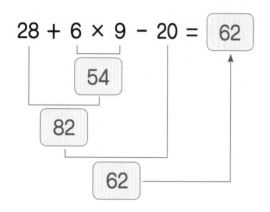

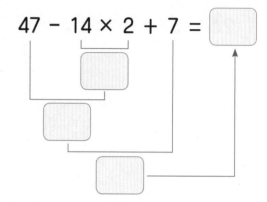

16 × 5 + 21 × 4 =

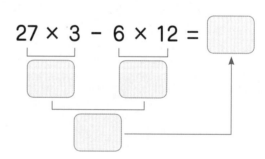

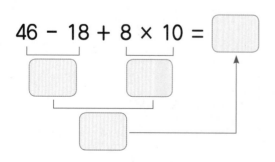

72 + 36 − 8 × 13 =

바른 계산 순서 나타내기

 다음 주어진 식의 바른 계산 순서를 나타내고, 알맞게 계산하세요.

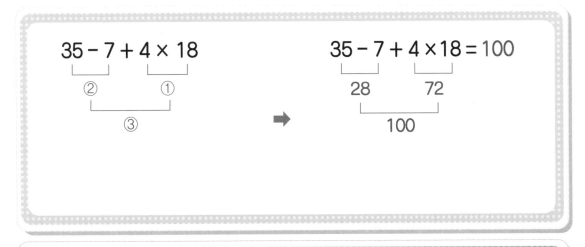

$$35 - 7 + 4 \times 18$$

② — ①

③

➡

$$35 - 7 + 4 \times 18 = 100$$

28   72

100

$$27 + 14 \times 6$$

$$27 + 14 \times 6 =$$

➡

$$19 + 23 \times 5 - 8$$

$$19 + 23 \times 5 - 8 =$$

➡

 다음 주어진 식의 바른 계산 순서를 나타내고, 알맞게 계산하세요.

163 − 7 × 16

163 − 7 × 16 =

75 − 19 × 3 + 23

75 − 19 × 3 + 23 =

31 × 5 − 27 × 4

31 × 5 − 27 × 4 =

다음 주어진 식의 바른 계산 순서를 나타내고, 알맞게 계산하세요.

$97 - 5 \times 18 + 43$

$97 - 5 \times 18 + 43 =$

➡

$60 - 32 + 18 \times 5$

$60 - 32 + 18 \times 5 =$

➡

$18 + 4 \times 23 - 17 \times 6$

$18 + 4 \times 23 - 17 \times 6 =$

➡

크기 비교

 다음을 계산하고, 계산 결과의 크기를 비교하여 ○ 안에 >, =, <를 알맞게 써넣으세요.

$19 × 6 - 7 × 9 =$ 51 $<$ $43 + 16 × 5 =$ 123

114   63

51

80

123

$66 - 14 × 3 =$ ☐ ○ $21 + 7 × 12 =$ ☐

$23 × 6 + 15 =$ ☐ ○ $48 - 12 + 7 × 3 =$ ☐

$18 + 3 × 8 - 12 =$ ☐ ○ $53 - 9 × 5 =$ ☐

다음을 계산하고, 계산 결과의 크기를 비교하여 ○ 안에 >, =, <를 알맞게 써넣으세요.

34 × 3 - 28 = ☐ ○ 16 + 15 × 7 - 7 = ☐

18 × 3 - 8 × 6 = ☐ ○ 96 - 3 × 16 = ☐

129 - 27 × 4 = ☐ ○ 59 - 4 × 8 - 6 = ☐

55 - 42 + 5 × 7 = ☐ ○ 66 + 9 - 11 × 5 = ☐

혼합 계산 퍼즐

 계산 결과가 같은 것끼리 선으로 이어 보세요.

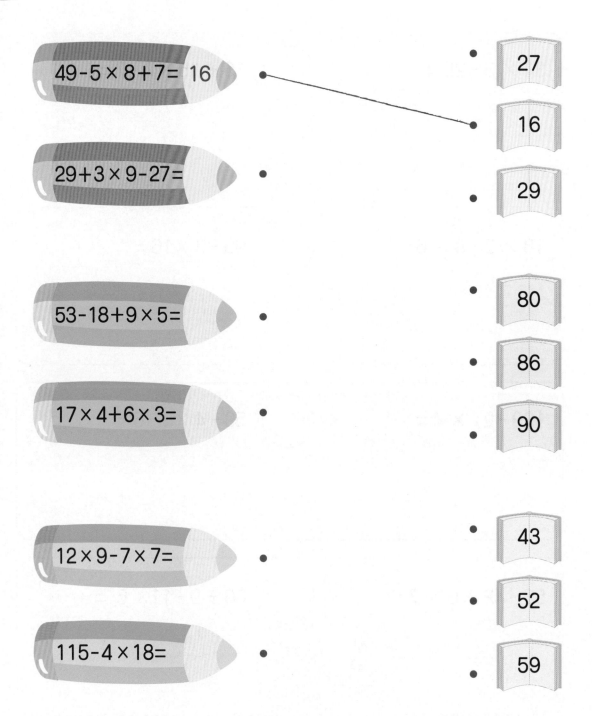

$49-5\times8+7=$ 16

$29+3\times9-27=$

27

16

29

$53-18+9\times5=$

$17\times4+6\times3=$

80

86

90

$12\times9-7\times7=$

$115-4\times18=$

43

52

59

 계산 결과가 같은 것끼리 선으로 이어 보세요.

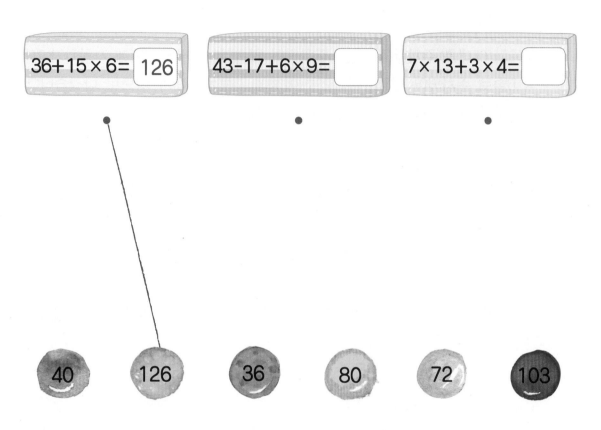

36+15×6= 126

43-17+6×9=

7×13+3×4=

40   126   36   80   72   103

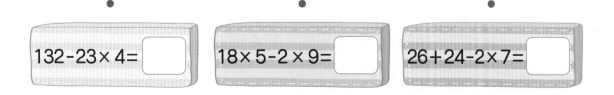

132-23×4=

18×5-2×9=

26+24-2×7=

문장제

 다음을 읽고 알맞은 식을 쓰고, 답을 구하세요.

> 자동차 65대를 주차할 수 있는 주차장이 있습니다. 어제 저녁에 자동차가 7대
> 씩 6줄로 주차되어 있었는데, 오늘 아침에 자동차 4대가 밖으로 나갔습니다.
> 이 주차장에 더 주차할 수 있는 자동차는 몇 대일까요?

① 어제 저녁에 주차된 자동차의 수를 알아보는 식을 세워 보세요.

$$7 \times \boxed{} = \boxed{} \ 대$$

② 어제 저녁에 더 주차할 수 있었던 자동차의 수를 알아보는 식을 세워 보세요.

$$65 - \boxed{} = \boxed{} \ 대$$

③ 오늘 아침에 4대가 밖으로 나간 후 더 주차할 수 있는 자동차의 수를 알아보는
식을 세워보세요.

$$\boxed{} + 4 = \boxed{} \ 대$$

④ 주차장에 더 주차할 수 있는 자동차의 수를 알아보기 위하여 세 식을 하나의 식으로
만들어 보세요.

$$65 - 7 \times \boxed{} + 4 = \boxed{} \ 대$$

다음을 읽고 알맞은 식을 쓰고, 답을 구하세요.

지훈이는 연필을 28자루 가지고 있었는데, 친구 5명에게 3자루씩 주고 동생에게 3자루를 얻었습니다. 지금 지훈이가 가지고 있는 연필은 몇 자루일까요?

식 : $28 - 5 \times 3 + 3 = 16$

 자루

과일 가게에 한 상자에 12송이씩 들어 있는 포도가 15상자 있습니다. 하루에 45송이씩 3일 동안 팔면, 남는 포도는 몇 송이일까요?

식 :

 송이

 다음을 읽고 알맞은 식을 쓰고, 답을 구하세요.

인수는 구슬 18개를 가지고 있고, 민호는 인수가 가진 구슬의 3배만큼 가지고 있습니다. 수영이가 65개를 가지고 있다면, 수영이가 가진 구슬은 민호보다 몇 개 더 많을까요?

식 : _____   ☐ 개

선영이는 공책을 32권 가지고 있습니다. 친구 3명에게 4권씩 주고, 언니에게도 3권을 주었습니다. 지금 선영이가 가지고 있는 공책은 몇 권일까요?

식 : _____   ☐ 권

과수원에서 한 상자에 14개씩 들어 있는 사과를 30상자 수확했습니다. 하루에 45개씩 6일 동안 팔면, 남는 사과는 몇 개일까요?

식 : _____   ☐ 개

 다음을 읽고 알맞은 식을 쓰고, 답을 구하세요.

혜정이와 언니가 각각 사탕을 가지고 있습니다. 혜정이는 17개를 가지고 있고, 언니가 가진 사탕은 3개씩 주머니에 담았더니 8개의 주머니가 되었습니다. 혜정이와 언니가 가진 사탕은 모두 몇 개일까요?

식 : 　　　　　　　　　　　　　　　　　　　　　　　　　　　　　　　　　　　개

현우는 칭찬 스티커를 13개씩 15일 동안 모았고, 정은이는 21개씩 9일 동안 모았습니다. 현우가 모은 칭찬 스티커는 정은이보다 몇 개 더 많을까요?

식 : 　　　　　　　　　　　　　　　　　　　　　　　　　　　　　　　　　　　개

민영이는 어제 용돈을 1500원 받아서 200원짜리 지우개를 4개 샀습니다. 오늘은 남은 돈으로 300원짜리 사탕을 한 개 샀습니다. 민영이가 지금 가지고 있는 돈은 얼마일까요?

식 : 　　　　　　　　　　　　　　　　　　　　　　　　　　　　　　　　　　　원

소마셈 C7 − 3주차

덧셈과 뺄셈,
나눗셈이 섞여 있는 식

1 일 차 나눗셈 먼저 계산하기

 ☐ 안에 알맞은 수를 써넣어 차례로 계산하세요.

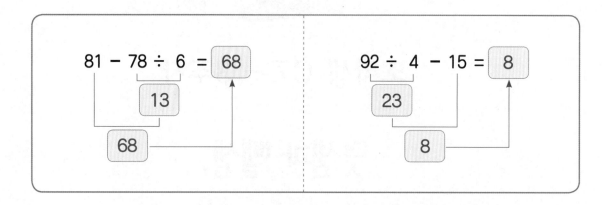

$81 - 78 \div 6 = 68$

13

68

$92 \div 4 - 15 = 8$

23

8

$54 - 72 \div 8 = \boxed{}$

$37 + 72 \div 3 = \boxed{}$

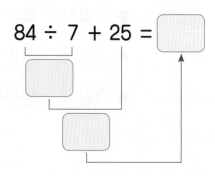

$96 \div 6 - 14 = \boxed{}$

$84 \div 7 + 25 = \boxed{}$

 TIP

덧셈과 뺄셈, 나눗셈이 섞여 있는 식은 나눗셈을 먼저 계산한 뒤, 차례로 계산합니다.

□ 안에 알맞은 수를 써넣어 차례로 계산하세요.

48 ÷ 8 + 54 ÷ 6 = ☐

52 ÷ 4 - 45 ÷ 5 = ☐
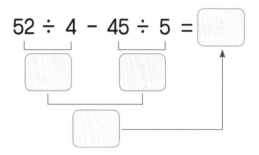

62 - 28 + 49 ÷ 7 = ☐
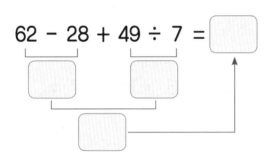

35 + 27 - 63 ÷ 9 = ☐
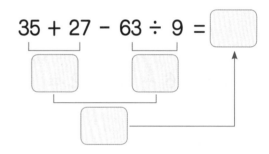

26 + 40 ÷ 8 - 18 = ☐

53 - 56 ÷ 8 - 7 = ☐
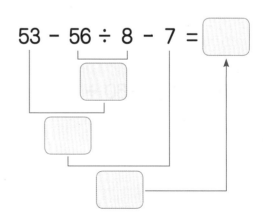

□ 안에 알맞은 수를 써넣어 차례로 계산하세요.

26 − 42 ÷ 3 + 38 = 50

14

12

50

72 + 15 ÷ 5 − 48 =

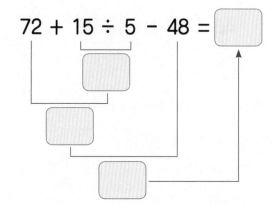

24 ÷ 6 + 54 ÷ 2 =

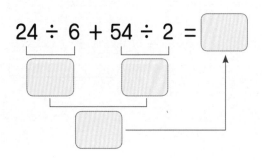

57 ÷ 3 − 56 ÷ 7 =

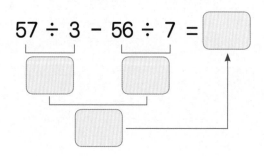

50 − 19 + 60 ÷ 12 =

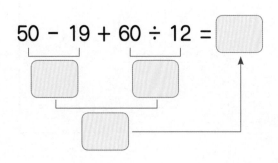

68 + 22 − 56 ÷ 2 =

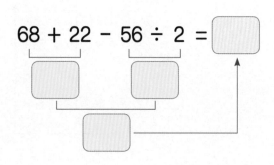

바른 계산 순서 나타내기

 다음 주어진 식의 바른 계산 순서를 나타내고, 알맞게 계산하세요.

$96 \div 4 + 25$

① ②

➡

$96 \div 4 + 25 = 49$

24

49

$72 \div 3 - 49 \div 7$

$72 \div 3 - 49 \div 7 =$

➡

$43 - 84 \div 6 + 37$

$43 - 84 \div 6 + 37 =$

➡

 다음 주어진 식의 바른 계산 순서를 나타내고, 알맞게 계산하세요.

$36 + 128 \div 8$ $36 + 128 \div 8 =$

➡

$72 - 16 + 63 \div 9$ $72 - 16 + 63 \div 9 =$

➡

$30 - 42 \div 3 + 70 \div 5$ $30 - 42 \div 3 + 70 \div 5 =$

➡

다음 주어진 식의 바른 계산 순서를 나타내고, 알맞게 계산하세요.

$61 - 54 \div 9 + 38$ $61 - 54 \div 9 + 38 =$

➡

$34 + 63 \div 7 - 64 \div 4$ $34 + 63 \div 7 - 64 \div 4 =$

➡

$56 \div 8 + 49 - 36 \div 3$ $56 \div 8 + 49 - 36 \div 3 =$

➡

크기 비교

 다음을 계산하고, 계산 결과의 크기를 비교하여 ○ 안에 >, =, <를 알맞게 써넣으세요.

$25 - 24 \div 6 + 37 =$ 　58　　(>)　　$85 - 24 \times 3 =$ 　13

4

21

58

72

13

$51 + 35 \div 5 =$ □　　( )　　$18 + 18 \div 6 - 7 =$ □

$48 - 23 + 42 \div 7 =$ □　　( )　　$72 \div 4 - 9 =$ □

$84 \div 6 - 27 \div 3 =$ □　　( )　　$29 + 24 \div 8 =$ □

다음을 계산하고, 계산 결과의 크기를 비교하여 ○ 안에 >, =, <를 알맞게 써넣으세요.

90 - 72 ÷ 8 = ☐   ○   64 ÷ 2 + 21 ÷ 3 = ☐

84 ÷ 7 - 18 ÷ 6 = ☐   ○   26 - 35 ÷ 5 = ☐

36 + 40 ÷ 8 - 18 = ☐   ○   37 - 36 ÷ 6 - 8 = ☐

90 ÷ 6 + 24 = ☐   ○   21 ÷ 7 + 5 - 3 = ☐

혼합 계산 퍼즐

 계산 결과가 같은 것끼리 선으로 이어 보세요.

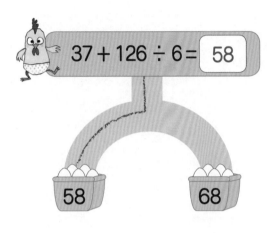

$37 + 126 \div 6 =$ 58

58   68

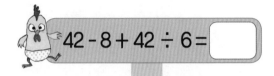

$42 - 8 + 42 \div 6 =$

31   41

$92 \div 4 - 49 \div 7 =$

18   16

$16 + 52 \div 4 - 6 =$

23   26

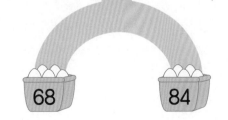

$80 - 60 \div 5 =$

68   84

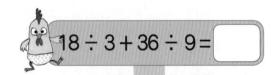

$18 \div 3 + 36 \div 9 =$

10   20

 계산 결과가 같은 것끼리 선으로 이어 보세요.

48+35÷7= 53

32-6+18÷9=

32÷2-36÷4=

20 28 53 10 44 7

61-85÷5=

48÷8+42÷3=

15+8-78÷6=

문장제

 다음을 읽고 알맞은 식을 쓰고, 답을 구하세요.

> 어느 생선가게에서는 생선 5마리를 3000원에 파는데 오후 7시부터는 할인을
> 하여 생선 4마리를 2200원에 팝니다. 생선 1마리는 오후 7시 이후가 오후 7시
> 이전보다 얼마나 더 쌀까요?

① 오후 7시 이전에 생선 1마리의 가격을 알아보는 식을 세워 보세요.

$$3000 \div \boxed{} = \boxed{} \text{ 원}$$

② 오후 7시 이후에 생선 1마리의 가격을 알아보는 식을 세워 보세요.

$$2200 \div \boxed{} = \boxed{} \text{ 원}$$

③ 생선 1마리는 오후 7시 이후가 오후 7시 이전보다 얼마나 더 싼지 알아보는 식을 세워
보세요.

$$\boxed{} - \boxed{} = \boxed{} \text{ 원}$$

④ 생선 1마리는 오후 7시 이후가 오후 7시 이전보다 얼마나 더 싼지 알아보기 위하여
세 식을 하나의 식으로 만들어 보세요.

$$3000 \div \boxed{} - 2200 \div \boxed{} = \boxed{} \text{ 원}$$

다음을 읽고 알맞은 식을 쓰고, 답을 구하세요.

연필 1자루의 무게는 30g이고, 지우개 2개의 무게는 80g, 자 1개의 무게는 20g입니다. 연필 1자루와 지우개 1개를 더한 무게는 자 1개의 무게보다 몇 g 더 무거울까요?

식 : 30 + 80 ÷ 2 - 20 = 50

 g

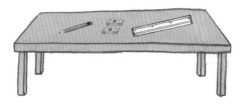

사탕 45개는 한 봉지에 5개씩 넣고, 초콜렛 24개는 한 봉지에 6개씩 넣었습니다. 사탕과 초콜렛을 넣은 봉지는 모두 몇 봉지일까요?

식 :

 봉지

 다음을 읽고 알맞은 식을 쓰고, 답을 구하세요.

선생님은 구슬 54개를 정근이와 형주에게 똑같이 나누어 주었습니다. 정근이는 자신이 받은 구슬 중 18개를 동생에게 주었습니다. 정근이에게 남은 구슬은 몇 개일까요?

식 :

개

굴 24개는 한 봉지에 4개씩 넣고, 자두 49개는 한 봉지에 7개씩 넣었습니다. 굴과 자두를 넣은 봉지는 모두 몇 봉지일까요?

식 :

봉지

색종이 1장의 무게는 25g이고, 색연필 3자루의 무게는 75g, 볼펜 1자루의 무게는 40g입니다. 색종이 1장과 색연필 1자루를 더한 무게는 볼펜 1자루의 무게보다 몇 g 더 무거울까요?

식 :

g

다음을 읽고 알맞은 식을 쓰고, 답을 구하세요.

사과 2개의 무게는 50g이고, 배 1개의 무게는 30g, 감 1개의 무게는 28g입니다. 사과 1개와 배 1개를 더한 무게는 감 1개의 무게보다 몇 g 더 무거울까요?

식 :

g

엄마께서 색종이 75장을 언니, 동생, 오빠에게 똑같이 나누어 주셨습니다. 언니는 원래 색종이 5장이 있었기 때문에 동생과 오빠보다 5장을 더 가지게 되었습니다. 언니가 가지고 있는 색종이는 모두 몇 장일까요?

식 :

장

가게에서 ㉮ 빵은 5개에 3500원이고, ㉯ 빵은 3개에 2400원에 팝니다. ㉯ 빵 1개는 ㉮ 빵 1개보다 얼마나 더 비쌀까요?

식 :

원

소마셈 C7 - 4주차

곱셈과 나눗셈, 덧셈(뺄셈)이 섞여 있는 식

곱셈이나 나눗셈 먼저 계산하기

 □ 안에 알맞은 수를 써넣어 차례로 계산하세요.

$9 \times 17 + 24 \div 8 =$ 156

153   3

156

$8 \times 12 + 21 \div 3 =$ □

□   □

□

$36 \div 9 + 23 \times 5 =$ □

□   □

□

$32 \times 2 - 56 \div 8 =$ □

□   □

□

$36 \div 6 + 18 \times 4 =$ □

□   □

□

$40 \div 8 + 21 \times 3 =$ □

□   □

□

 TIP

곱셈과 나눗셈, 덧셈(또는 뺄셈)이 섞여 있는 식은 곱셈이나 나눗셈을 먼저 계산한 뒤, 차례로
계산합니다.

□ 안에 알맞은 수를 써넣어 차례로 계산하세요.

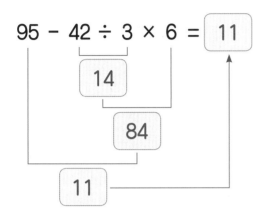

95 − 42 ÷ 3 × 6 = 11

14

84

11

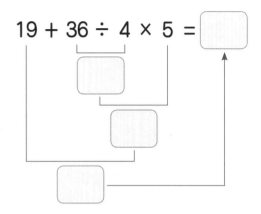

19 + 36 ÷ 4 × 5 =

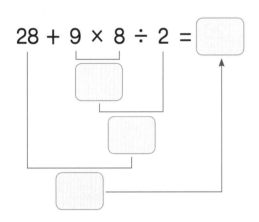

28 + 9 × 8 ÷ 2 =

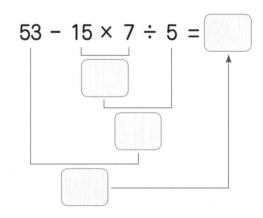

53 − 15 × 7 ÷ 5 =

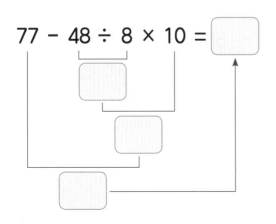

77 − 48 ÷ 8 × 10 =

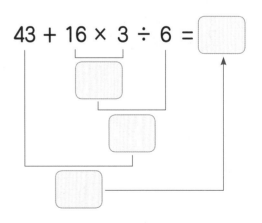

43 + 16 × 3 ÷ 6 =

□ 안에 알맞은 수를 써넣어 차례로 계산하세요.

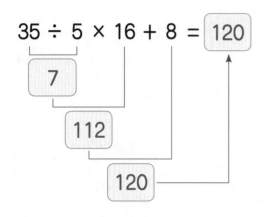

$35 \div 5 \times 16 + 8 = \boxed{120}$

7

112

120

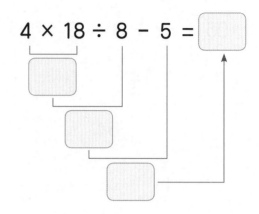

$4 \times 18 \div 8 - 5 = \boxed{}$

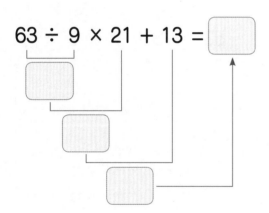

$63 \div 9 \times 21 + 13 = \boxed{}$

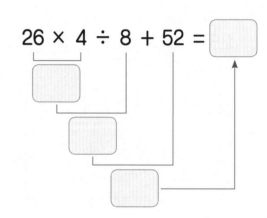

$26 \times 4 \div 8 + 52 = \boxed{}$

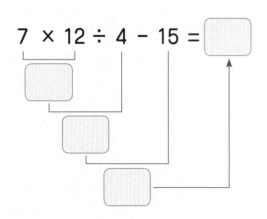

$7 \times 12 \div 4 - 15 = \boxed{}$

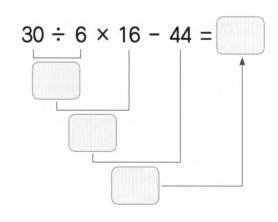

$30 \div 6 \times 16 - 44 = \boxed{}$

바른 계산 순서 나타내기

 다음 주어진 식의 바른 계산 순서를 나타내고, 알맞게 계산하세요.

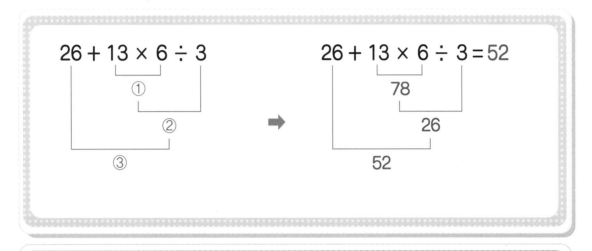

$$26 + 13 \times 6 \div 3$$

① ② ③

$$26 + 13 \times 6 \div 3 = 52$$

78

26

52

$$6 \times 22 - 48 \div 6$$

$$6 \times 22 - 48 \div 6 =$$

$$51 - 7 \times 9 \div 3$$

$$51 - 7 \times 9 \div 3 =$$

 다음 주어진 식의 바른 계산 순서를 나타내고, 알맞게 계산하세요.

$55 \div 5 \times 8 + 39$ $55 \div 5 \times 8 + 39 =$

➡

$17 \times 4 \div 2 - 15$ $17 \times 4 \div 2 - 15 =$

➡

$57 - 48 \div 8 \times 5 + 7$ $57 - 48 \div 8 \times 5 + 7 =$

➡

다음 주어진 식의 바른 계산 순서를 나타내고, 알맞게 계산하세요.

38 + 26 × 3 ÷ 6   38 + 26 × 3 ÷ 6 =

➡

72 ÷ 8 + 17 × 5   72 ÷ 8 + 17 × 5 =

➡

54 ÷ 9 + 8 × 13 × 4   54 ÷ 9 + 8 × 13 × 4 =

➡

3 일 차   크기 비교

 다음을 계산하고, 계산 결과의 크기를 비교하여 ○ 안에 >, =, <를 알맞게 써넣으세요.

15 × 8 ÷ 2 + 23 = 83   > 64 − 13 × 6 ÷ 3 = 38

120	78
60	26
83	38

50 − 24 ÷ 3 × 5 =   ○   20 ÷ 5 × 5 − 10 =

48 ÷ 8 × 4 + 18 =   ○   29 + 42 ÷ 7 × 6 =

7 + 24 × 2 ÷ 4 =   ○   17 × 4 ÷ 2 − 16 =

다음을 계산하고, 계산 결과의 크기를 비교하여 ○ 안에 >, =, <를 알맞게 써넣으세요.

6 × 12 − 32 ÷ 8 = ☐ ○ 82 − 56 ÷ 4 × 3 = ☐

50 ÷ 5 × 9 − 6 = ☐ ○ 63 ÷ 9 + 3 × 24 = ☐

56 ÷ 8 + 2 × 7 = ☐ ○ 12 + 15 × 3 ÷ 5 = ☐

16 × 7 + 16 ÷ 8 = ☐ ○ 8 × 5 ÷ 2 + 26 = ☐

혼합 계산 퍼즐

 계산 결과가 같은 것끼리 선으로 이어 보세요.

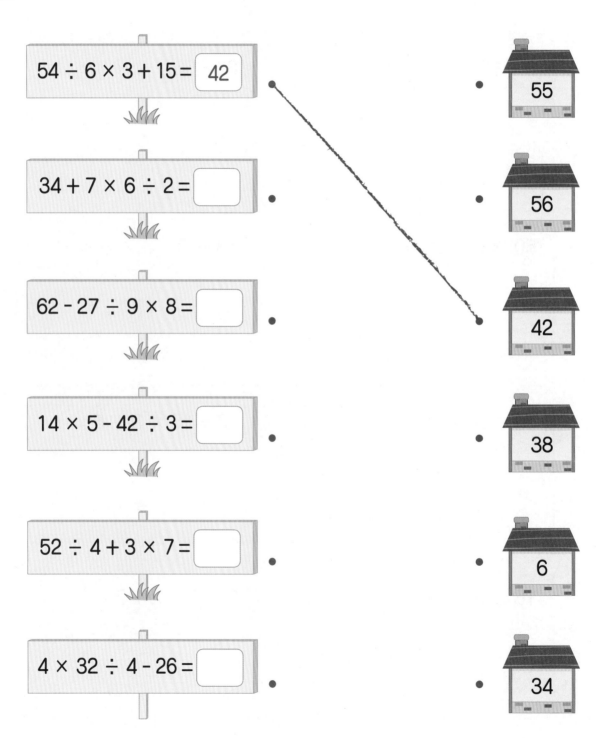

$54 \div 6 \times 3 + 15 = \boxed{42}$

$34 + 7 \times 6 \div 2 = \boxed{}$

$62 - 27 \div 9 \times 8 = \boxed{}$

$14 \times 5 - 42 \div 3 = \boxed{}$

$52 \div 4 + 3 \times 7 = \boxed{}$

$4 \times 32 \div 4 - 26 = \boxed{}$

55

56

42

38

6

34

계산 결과가 같은 것끼리 선으로 이어 보세요.

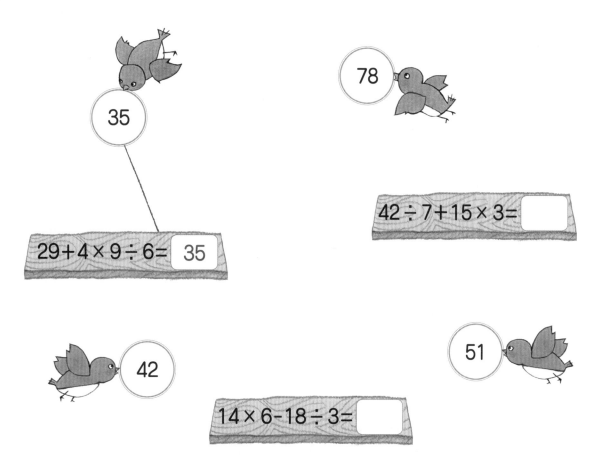

78

$42 \div 7 + 15 \times 3 =$ ☐

35

$29 + 4 \times 9 \div 6 =$ 35

42

51

$14 \times 6 - 18 \div 3 =$ ☐

$5 \times 24 \div 4 + 37 =$ ☐

$54 - 45 \div 9 \times 8 =$ ☐

67

14

 다음을 읽고 알맞은 식을 쓰고, 답을 구하세요.

> 효준이와 현규가 귤 38개를 똑같이 나누어 가졌습니다. 효준이가 현규와 나누어 가진 귤을 가지고 집에 돌아오니 귤이 5개씩 5묶음 더 있었습니다. 효준이네 집에 있는 귤은 모두 몇 개일까요?

① 효준이가 현규와 나누어 가진 귤의 개수를 알아보는 식을 세워 보세요.

$$38 \div \boxed{} = \boxed{} \text{ 개}$$

② 효준이네 집에 있던 귤의 개수를 알아보는 식을 세워 보세요.

$$5 \times \boxed{} = \boxed{} \text{ 개}$$

③ 효준이가 현규와 나누어 가진 귤과 집에 있던 귤의 개수의 합을 알아보는 식을 세워 보세요.

$$\boxed{} + \boxed{} = \boxed{} \text{ 개}$$

④ 효준이가 현규와 나누어 가진 귤과 집에 있던 귤의 개수의 합을 알아보기 위하여 세 식을 하나의 식으로 만들어 보세요.

$$38 \div \boxed{} + 5 \times \boxed{} = \boxed{} \text{ 개}$$

다음을 읽고 알맞은 식을 쓰고, 답을 구하세요.

지우와 친구들, 모두 5명이 사탕 45개를 똑같이 나누어 가졌습니다. 지우가 친구들과 나누어 가진 사탕을 가지고 집에 오니, 언니가 사탕 7개씩 2묶음을 더 주었습니다. 지우가 가진 사탕은 모두 몇 개일까요?

식 : 45 ÷ 5 + 7 × 2 = 23

개

호진이네 반 친구들은 15명씩 6조로 나뉘어 공원 청소를 하러 갔습니다. 그런데 나무를 심는 데 사람이 필요해서 절반의 친구들이 나무를 심으러 갔고, 잠시 후 세 사람이 더 돕기 위해 갔습니다. 남은 학생은 몇 명일까요?

식 :

명

 다음을 읽고 알맞은 식을 쓰고, 답을 구하세요.

사탕이 16개씩 8봉지가 있습니다. 이 사탕을 연우와 친구들, 모두 4명이 나누어 가졌습니다. 연우가 나누어 가진 사탕 중 5개를 먹었다면 연우에게 남은 사탕은 몇 개일까요?

식 :

　　　　　　개

철수네 반 친구 7명이 딱지를 12개씩 가지고 와서 딱지치기를 했습니다. 이긴 사람 두 명이 딱지를 모두 모아 똑같이 나누어 가지기로 했는데, 철수가 이겼습니다. 그런데 철수가 집에 돌아오던 중 딱지 2개를 잃어버렸다면 철수에게 남은 딱지는 몇 개일까요?

식 :

　　　　　　개

선생님께서 연필 45자루를 3명의 친구들에게 똑같이 나누어 주었습니다. 경주는 선생님께 받은 연필을 동생에게 4자루씩 2묶음 주었습니다. 경주에게 남은 연필은 몇 자루일까요?

식 :

　　　　　　자루

 다음을 읽고 알맞은 식을 쓰고, 답을 구하세요.

정호와 친구들은 7명씩 12조로 나뉘어 양로원에 봉사활동을 갔습니다. 그 중 절반의 친구들은 급식을 도우러 갔고, 잠시 후 4명이 더 따라 갔습니다. 남은 학생은 몇 명일 까요?

식 : _____

명

재우와 친구들, 모두 4명이 구슬 68개를 똑같이 나누어 가졌습니다. 재우의 형이 재우 에게 구슬을 9개씩 3묶음 더 주었다면, 재우가 가진 구슬은 모두 몇 개일까요?

식 : _____

개

지하철에 사람들이 한 칸에 38명씩 모두 8칸에 타고 있습니다. 다음 정거장에서 절반의 사람이 내리고 26명이 더 탔습니다. 지하철에 타고 있는 사람은 모두 몇 명일까요?

식 : _____

명

Note

보충학습

Drill

곱셈과 나눗셈이 섞여 있는 식

빈칸에 알맞은 수를 써넣으세요.

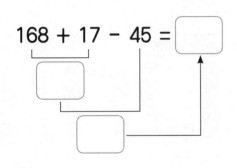

$$175 + 19 - 32 = \boxed{}$$

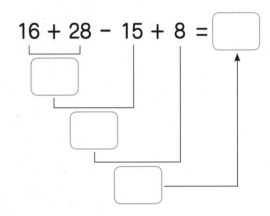

$$16 + 28 - 15 + 8 = \boxed{}$$

$$168 + 17 - 45 = \boxed{}$$

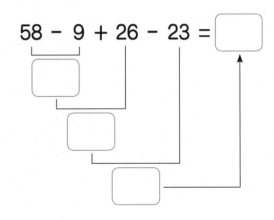

$$58 - 9 + 26 - 23 = \boxed{}$$

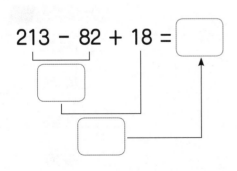

$$213 - 82 + 18 = \boxed{}$$

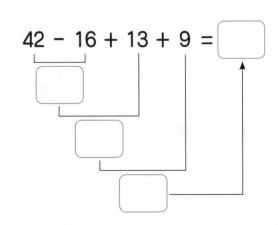

$$42 - 16 + 13 + 9 = \boxed{}$$

빈칸에 알맞은 수를 써넣으세요.

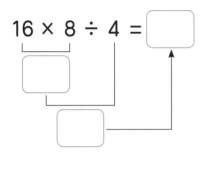

16 × 8 ÷ 4 =

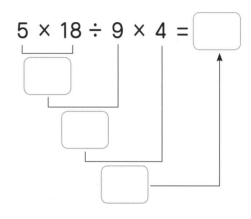

5 × 18 ÷ 9 × 4 =

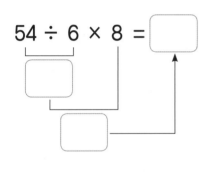

54 ÷ 6 × 8 =

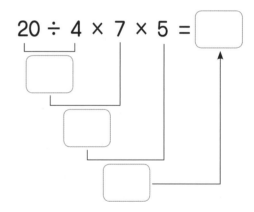

20 ÷ 4 × 7 × 5 =

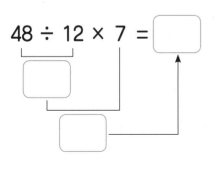

48 ÷ 12 × 7 =

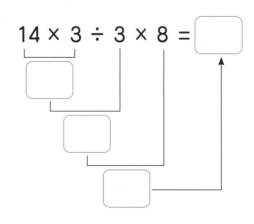

14 × 3 ÷ 3 × 8 =

빈칸에 알맞은 수를 써넣으세요.

$165 + 28 - 46 =$ ☐

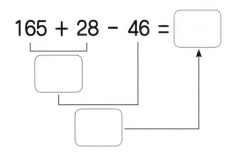

$27 + 36 - 19 + 7 =$ ☐

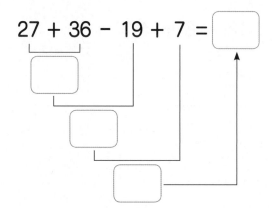

$203 + 34 - 68 =$ ☐

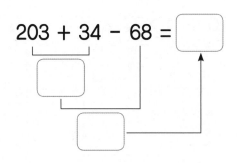

$47 - 8 + 35 - 19 =$ ☐

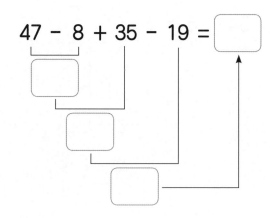

$285 - 76 + 19 =$ ☐

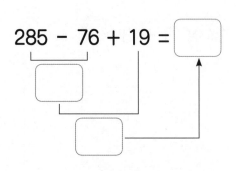

$52 - 26 + 45 + 8 =$ ☐

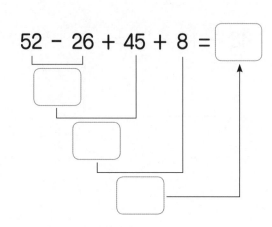

빈칸에 알맞은 수를 써넣으세요.

24 × 6 ÷ 4 = ⬚

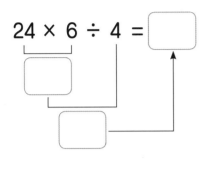

6 × 13 ÷ 3 × 4 = ⬚

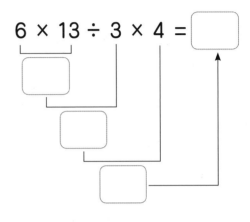

50 ÷ 5 × 8 = ⬚

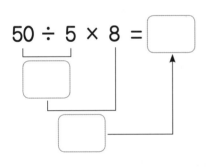

20 ÷ 5 × 6 × 3 = ⬚

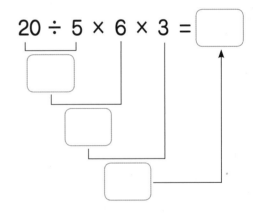

84 ÷ 12 × 6 = ⬚

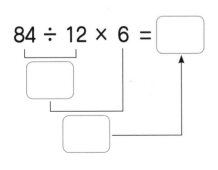

15 × 2 ÷ 3 × 6 = ⬚

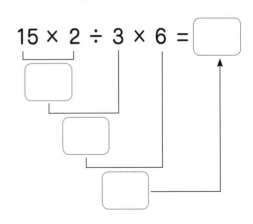

빈칸에 알맞은 수를 써넣으세요.

$34 + 18 - 24 =$ 28

52

28

$51 - 36 + 17 =$

$149 - 52 + 28 =$

$153 + 8 - 19 =$

$150 - 45 + 33 =$

$216 + 17 - 63 =$

$34 - 9 + 42 - 18 =$

$42 + 14 - 27 + 6 =$

빈칸에 알맞은 수를 써넣으세요.

$7 \times 24 \div 3 = \boxed{}$

$36 \div 4 \times 18 = \boxed{}$

$43 \times 6 \div 6 = \boxed{}$

$28 \times 7 \div 4 = \boxed{}$

$123 \times 4 \div 2 = \boxed{}$

$6 \times 32 \div 16 = \boxed{}$

$24 \div 3 \times 5 \times 3 = \boxed{}$

$13 \times 6 \div 3 \times 8 = \boxed{}$

빈칸에 알맞은 수를 써넣으세요.

34 + 19 − 26 = ☐

62 − 36 + 27 = ☐

138 − 69 + 35 = ☐

143 + 18 − 47 = ☐

160 − 18 + 35 = ☐

224 + 18 − 43 = ☐

42 − 8 + 24 − 15 = ☐

25 + 19 − 31 + 6 = ☐

빈칸에 알맞은 수를 써넣으세요.

$5 \times 15 \div 3 = \boxed{}$

$28 \div 4 \times 12 = \boxed{}$

$33 \times 8 \div 4 = \boxed{}$

$35 \times 6 \div 2 = \boxed{}$

$125 \times 3 \div 5 = \boxed{}$

$6 \times 24 \div 18 = \boxed{}$

$21 \div 3 \times 2 \times 6 = \boxed{}$

$12 \times 8 \div 4 \times 7 = \boxed{}$

덧셈과 뺄셈,
곱셈이 섞여 있는 식

빈칸에 알맞은 수를 써넣으세요.

19 × 3 + 14 × 6 = ☐

26 × 3 - 8 × 8 = ☐

56 + 21 - 3 × 15 = ☐

42 - 17 + 7 × 4 = ☐

48 - 13 × 2 - 5 = ☐

62 + 5 × 7 - 35 = ☐

빈칸에 알맞은 수를 써넣으세요.

20 × 5 + 18 × 2 = ☐

17 × 3 − 4 × 6 = ☐
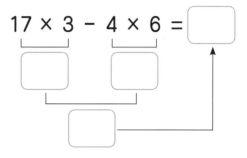

35 − 17 + 9 × 9 = ☐
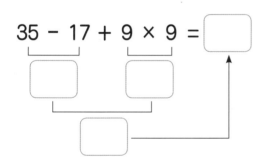

16 + 26 − 4 × 10 = ☐
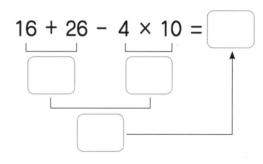

39 + 8 × 3 − 16 = ☐
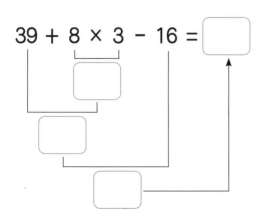

66 − 14 × 4 + 6 = ☐
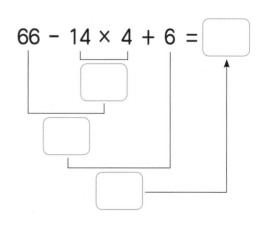

빈칸에 알맞은 수를 써넣으세요.

25 × 5 + 13 × 8 = ☐

24 × 6 − 8 × 7 = ☐

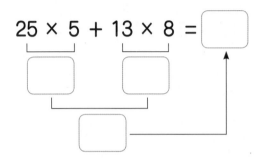

64 − 21 + 4 × 16 = ☐

53 + 16 + 38 × 5 = ☐

36 − 12 × 2 + 8 = ☐

63 + 4 × 9 − 38 = ☐

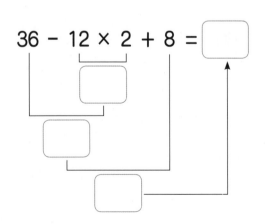
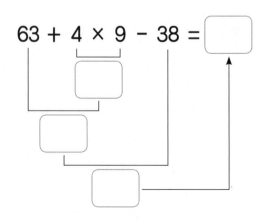

빈칸에 알맞은 수를 써넣으세요.

36 × 4 + 17 × 3 = ☐

25 × 6 − 31 × 4 = ☐
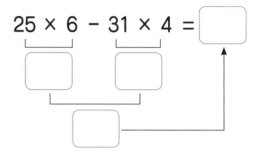

28 − 9 + 16 × 4 = ☐

34 + 66 − 3 × 23 = ☐
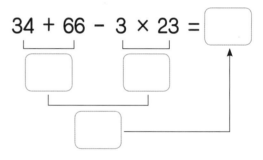

27 + 6 × 9 − 13 = ☐
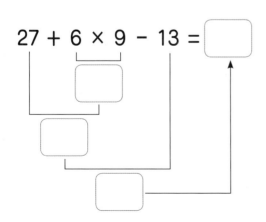

56 − 13 × 3 + 8 = ☐

빈칸에 알맞은 수를 써넣으세요.

$14 + 17 \times 5 = \boxed{}$

$36 + 12 \times 7 = \boxed{}$

$65 - 14 \times 4 = \boxed{}$

$98 - 22 \times 3 = \boxed{}$

$16 + 7 \times 5 - 14 = \boxed{}$

$62 - 12 + 6 \times 8 = \boxed{}$

$24 + 3 \times 8 + 13 = \boxed{}$

$27 - 2 \times 9 + 16 = \boxed{}$

빈칸에 알맞은 수를 써넣으세요.

$34 \times 4 - 21 = \boxed{}$

$18 + 24 \times 5 = \boxed{}$

$84 - 3 \times 15 = \boxed{}$

$72 - 4 \times 14 = \boxed{}$

$17 \times 3 - 5 \times 6 = \boxed{}$

$21 + 12 \times 8 - 7 = \boxed{}$

$55 - 4 \times 6 - 13 = \boxed{}$

$86 + 9 - 11 \times 6 = \boxed{}$

빈칸에 알맞은 수를 써넣으세요.

$16 + 23 \times 4 =$ ☐

$38 + 13 \times 7 =$ ☐

$74 - 13 \times 3 =$ ☐

$86 - 23 \times 3 =$ ☐

$14 + 7 \times 4 - 13 =$ ☐

$53 - 12 + 6 \times 9 =$ ☐

$21 + 3 \times 9 + 16 =$ ☐

$28 - 3 \times 5 + 14 =$ ☐

빈칸에 알맞은 수를 써넣으세요.

$45 \times 3 - 14 = \boxed{}$

$17 + 25 \times 6 = \boxed{}$

$90 - 6 \times 13 = \boxed{}$

$81 - 12 \times 4 = \boxed{}$

$16 \times 4 - 5 \times 8 = \boxed{}$

$23 + 13 \times 7 - 6 = \boxed{}$

$43 + 16 - 12 \times 3 = \boxed{}$

$56 - 3 \times 9 - 12 = \boxed{}$

덧셈과 뺄셈,
나눗셈이 섞여 있는 식

빈칸에 알맞은 수를 써넣으세요.

$51 \div 3 - 40 \div 5 = \boxed{}$

$56 \div 8 + 48 \div 4 = \boxed{}$

$25 + 35 - 54 \div 9 = \boxed{}$

$53 - 29 + 48 \div 6 = \boxed{}$

$90 - 80 \div 5 - 7 = \boxed{}$

$28 + 35 \div 7 - 17 = \boxed{}$

빈칸에 알맞은 수를 써넣으세요.

$42 \div 6 + 56 \div 2 = \boxed{}$

$72 \div 3 - 72 \div 12 = \boxed{}$

$57 - 28 + 49 \div 7 = \boxed{}$

$48 + 23 - 27 \div 3 = \boxed{}$

$37 - 64 \div 8 + 23 = \boxed{}$

$26 + 30 \div 5 - 18 = \boxed{}$

빈칸에 알맞은 수를 써넣으세요.

81 ÷ 3 − 25 ÷ 5 = ☐

64 ÷ 8 + 44 ÷ 4 = ☐

21 + 55 − 63 ÷ 9 = ☐

39 − 15 + 64 ÷ 4 = ☐

85 − 26 ÷ 2 − 9 = ☐

34 + 35 ÷ 5 − 19 = ☐

빈칸에 알맞은 수를 써넣으세요.

45 ÷ 5 + 58 ÷ 2 = ☐

64 ÷ 8 − 60 ÷ 12 = ☐

51 + 38 − 99 ÷ 9 = ☐

68 − 39 + 35 ÷ 5 = ☐

45 − 72 ÷ 9 + 31 = ☐

36 + 40 ÷ 8 − 17 = ☐

빈칸에 알맞은 수를 써넣으세요.

$72 \div 4 - 13 = \boxed{}$

$63 - 60 \div 5 = \boxed{}$

$52 - 84 \div 6 = \boxed{}$

$35 + 78 \div 3 = \boxed{}$

$26 - 14 + 42 \div 7 = \boxed{}$

$15 + 24 \div 6 - 7 = \boxed{}$

$22 - 32 \div 4 + 10 = \boxed{}$

$48 \div 4 - 30 \div 5 = \boxed{}$

빈칸에 알맞은 수를 써넣으세요.

$72 \div 6 + 39 = \boxed{}$

$11 + 84 \div 3 = \boxed{}$

$41 - 68 \div 2 = \boxed{}$

$60 \div 4 - 13 = \boxed{}$

$75 \div 5 - 16 \div 4 = \boxed{}$

$26 + 33 - 56 \div 8 = \boxed{}$

$63 - 28 \div 2 - 9 = \boxed{}$

$54 \div 9 + 27 \div 3 = \boxed{}$

빈칸에 알맞은 수를 써넣으세요.

$92 \div 4 - 17 = \boxed{}$

$58 - 66 \div 6 = \boxed{}$

$42 + 46 \div 2 = \boxed{}$

$52 - 39 \div 3 = \boxed{}$

$33 - 28 \div 4 - 11 = \boxed{}$

$90 \div 6 - 42 \div 7 = \boxed{}$

$18 + 27 - 24 \div 4 = \boxed{}$

$42 + 48 \div 8 - 16 = \boxed{}$

빈칸에 알맞은 수를 써넣으세요.

$68 \div 4 + 24 = \boxed{}$

$15 + 26 \div 2 = \boxed{}$

$40 - 69 \div 3 = \boxed{}$

$92 \div 4 - 14 = \boxed{}$

$76 \div 2 - 54 \div 2 = \boxed{}$

$63 - 22 \div 2 + 18 = \boxed{}$

$29 + 35 \div 5 - 18 = \boxed{}$

$55 - 52 \div 4 - 8 = \boxed{}$

곡셈과 나눗셈,
덧셈(뺄셈)이 섞여 있는 식

빈칸에 알맞은 수를 써넣으세요.

30 ÷ 6 + 24 × 5 = ☐

18 × 3 − 28 ÷ 7 = ☐

34 + 8 × 7 ÷ 4 = ☐

53 − 6 × 15 ÷ 5 = ☐

93 − 56 ÷ 7 × 11 = ☐

26 + 22 × 3 ÷ 6 = ☐

빈칸에 알맞은 수를 써넣으세요.

92 ÷ 4 + 7 × 8 = ☐

6 × 15 − 30 ÷ 5 = ☐

56 ÷ 8 × 15 + 26 = ☐

18 × 4 ÷ 8 + 49 = ☐

19 × 3 ÷ 3 − 12 = ☐

54 ÷ 6 × 14 − 66 = ☐

빈칸에 알맞은 수를 써넣으세요.

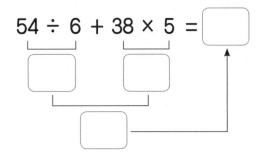

$$54 \div 6 + 38 \times 5 = \boxed{}$$

$$52 \times 2 - 36 \div 6 = \boxed{}$$

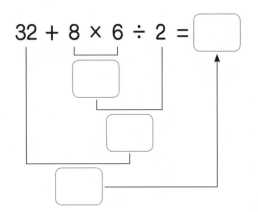

$$32 + 8 \times 6 \div 2 = \boxed{}$$

$$64 - 8 \times 14 \div 2 = \boxed{}$$

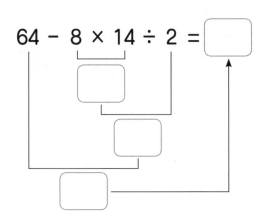

$$186 - 75 \div 5 \times 8 = \boxed{}$$

$$35 + 45 \times 6 \div 9 = \boxed{}$$

빈칸에 알맞은 수를 써넣으세요.

$$72 \div 4 + 6 \times 8 = \boxed{}$$

$$5 \times 24 - 60 \div 3 = \boxed{}$$

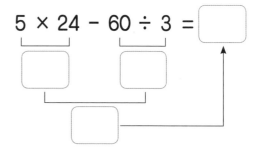

$$48 \div 6 \times 13 - 39 = \boxed{}$$

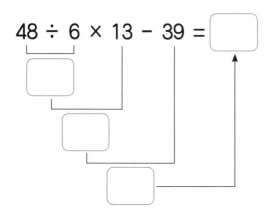

$$15 \times 5 \div 3 + 78 = \boxed{}$$

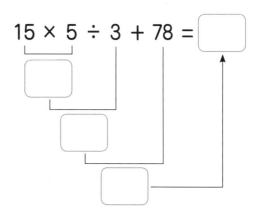

$$18 \div 2 \times 6 - 24 = \boxed{}$$

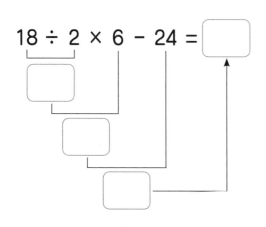

$$65 \times 2 \div 5 + 37 = \boxed{}$$

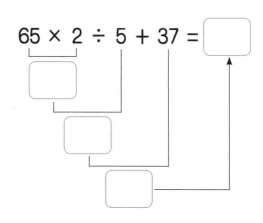

빈칸에 알맞은 수를 써넣으세요.

$60 - 15 \times 5 \div 3 =$ ☐

$45 \div 5 \times 4 - 8 =$ ☐

$33 + 35 \div 7 \times 8 =$ ☐

$32 \times 2 \div 4 + 57 =$ ☐

$12 \times 6 \div 4 + 17 =$ ☐

$85 - 36 \div 4 \times 8 =$ ☐

$24 \div 8 \times 9 + 19 =$ ☐

$16 + 21 \times 2 \div 6 =$ ☐

빈칸에 알맞은 수를 써넣으세요.

$6 \times 18 - 77 \div 7 = \boxed{}$

$94 - 72 \div 4 \times 5 = \boxed{}$

$76 \div 2 - 3 \times 6 = \boxed{}$

$12 - 15 \times 3 \div 5 = \boxed{}$

$16 \times 6 + 56 \div 8 = \boxed{}$

$4 \times 32 \div 2 - 49 = \boxed{}$

$65 \div 5 \times 8 - 11 = \boxed{}$

$27 \div 9 + 4 \times 32 = \boxed{}$

빈칸에 알맞은 수를 써넣으세요.

$52 - 14 \times 6 \div 4 = \boxed{}$

$36 \div 6 \times 2 - 9 = \boxed{}$

$32 + 68 \div 4 \times 3 = \boxed{}$

$28 \times 3 + 72 \div 6 = \boxed{}$

$25 \times 8 \div 4 + 37 = \boxed{}$

$79 - 34 \times 6 \div 4 = \boxed{}$

$20 \div 5 \times 6 + 28 = \boxed{}$

$19 + 35 \times 5 \div 7 = \boxed{}$

빈칸에 알맞은 수를 써넣으세요.

$7 \times 23 - 84 \div 6 = \boxed{}$

$75 - 16 \div 8 \times 3 = \boxed{}$

$84 \div 3 - 2 \times 9 = \boxed{}$

$38 - 16 \times 4 \div 2 = \boxed{}$

$17 \times 8 + 28 \div 4 = \boxed{}$

$4 \times 27 \div 3 - 21 = \boxed{}$

$54 \div 9 \times 6 - 13 = \boxed{}$

$28 \div 4 + 2 \times 54 = \boxed{}$

정답

정답

P
10
~
11

1일차 덧셈과 뺄셈이 섞여 있는 식

☘ □안에 알맞은 수를 써넣어 차례로 계산하세요.

26 + 15 - 37 = 4
41
4

25 - 8 + 14 = 31
17
31

37 + 9 - 18 = 28
46
28

36 + 14 - 11 = 39
50
39

25 - 12 + 26 = 39
13
39

42 - 15 + 13 = 40
27
40

TIP 덧셈과 뺄셈이 섞여 있는 식은 앞에서부터 차례로 계산합니다.

10 소마셈 - C7

1주 ○○

☘ □안에 알맞은 수를 써넣어 차례로 계산하세요.

37 - 16 + 24 = 45
21
45

19 + 18 - 12 = 25
37
25

24 + 19 - 21 = 22
43
22

28 + 23 - 15 = 36
51
36

32 - 14 + 27 = 45
18
45

44 - 17 + 18 = 45
27
45

1주 - 곱셈과 나눗셈이 섞여 있는 식 11

P
12
~
13

1주 ○

☘ □안에 알맞은 수를 써넣어 차례로 계산하세요.

126 - 15 + 43 = 154
111
154

35 + 17 - 22 + 6 = 36
52
30
36

243 + 8 - 23 = 228
251
228

47 - 9 + 13 - 24 = 27
38
51
27

135 - 26 + 34 = 143
109
143

23 - 15 + 8 + 35 = 51
8
16
51

12 소마셈 - C7

2일차 곱셈과 나눗셈이 섞여 있는 식

☘ □안에 알맞은 수를 써넣어 차례로 계산하세요.

24 × 2 ÷ 8 = 6
48
6

45 ÷ 5 × 7 = 63
9
63

15 × 6 ÷ 9 = 10
90
10

32 ÷ 4 × 8 = 64
8
64

72 ÷ 9 × 6 = 48
8
48

48 × 6 ÷ 9 = 32
288
32

TIP 곱셈과 나눗셈이 섞여 있는 식은 앞에서부터 차례로 계산합니다.

1주 - 곱셈과 나눗셈이 섞여 있는 식 13

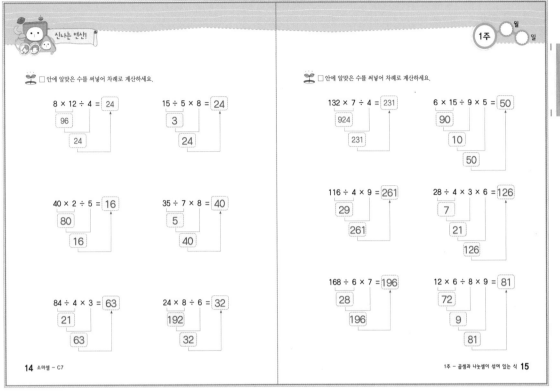

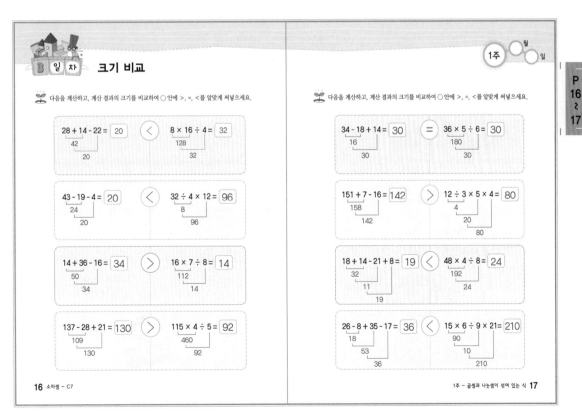

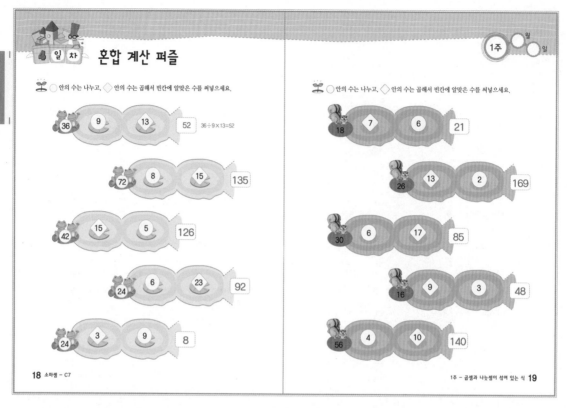

1 일차 혼합 계산 퍼즐

🌱 ◯안의 수는 나누고, ◇안의 수는 곱해서 빈칸에 알맞은 수를 써넣으세요.

36 ÷ 9 × 13 = 52

18 소마셈 – C7

🌱 ◯안의 수는 나누고, ◇안의 수는 곱해서 빈칸에 알맞은 수를 써넣으세요.

1주 - 곱셈과 나눗셈이 섞여 있는 식 **19**

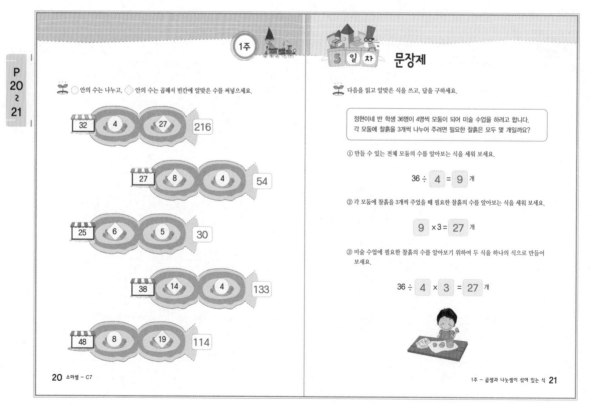

🌱 ◯안의 수는 나누고, ◇안의 수는 곱해서 빈칸에 알맞은 수를 써넣으세요.

20 소마셈 – C7

1주

5 일차 문장제

🌱 다음을 읽고 알맞은 식을 쓰고, 답을 구하세요.

정현이네 반 학생 36명이 4명씩 모둠이 되어 미술 수업을 하려고 합니다. 각 모둠에 찰흙을 3개씩 나누어 주려면 필요한 찰흙은 모두 몇 개일까요?

① 만들 수 있는 전체 모둠의 수를 알아보는 식을 세워 보세요.

36 ÷ 4 = 9 개

② 각 모둠에 찰흙을 3개씩 주었을 때 필요한 찰흙의 수를 알아보는 식을 세워 보세요.

9 × 3 = 27 개

③ 미술 수업에 필요한 찰흙의 수를 알아보기 위하여 두 식을 하나의 식으로 만들어 보세요.

36 ÷ 4 × 3 = 27 개

1주 - 곱셈과 나눗셈이 섞여 있는 식 **21**

다음을 읽고 알맞은 식을 쓰고, 답을 구하세요.

세희의 이모가 한 봉지에 16개씩 들어 있는 귤을 2봉지 사 오셨습니다. 이 귤을 세희네 가족 4명이 똑같이 나누어 먹으려고 합니다. 한 사람이 먹는 귤은 몇 개일까요?

식 : $16 \times 2 \div 4 = 8$

8 개

형우네 학교 학생 140명이 미술관으로 견학을 가기 위해 버스 한 대에 20명씩 탔습니다. 각 버스에 미술관 안내 책자가 8권씩 놓여 있다면, 버스에 놓인 안내 책자는 모두 몇 권일까요?

식 : $140 \div 20 \times 8 = 56$

56 권

 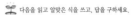

다음을 읽고 알맞은 식을 쓰고, 답을 구하세요.

은희는 연필 49자루를 7자루씩 묶어서 친구들에게 나누어 주려고 합니다. 연필 한 묶음에 지우개도 3개씩 넣어 주려면 필요한 지우개는 모두 몇 개일까요?

식 : $49 \div 7 \times 3 = 21$

21 개

희주네 반 학생 30명이 6명씩 한 모둠이 되어 피구를 하려고 합니다. 각 모둠에 공을 2개씩 나누어 주려면 필요한 공은 모두 몇 개일까요?

식 : $30 \div 6 \times 2 = 10$

10 개

정주의 어머니께서 한 봉지에 15개씩 들어 있는 딸기를 4봉지 사 오셨습니다. 이 딸기를 정주네 가족 3명이 똑같이 나누어 먹으려고 합니다. 한 사람이 먹는 딸기는 몇 개일까요?

식 : $15 \times 4 \div 3 = 20$

20 개

다음을 읽고 알맞은 식을 쓰고, 답을 구하세요.

용주는 어제 수학 문제 16개를 풀었고, 오늘은 어제의 3배만큼 문제를 더 풀었습니다. 만약 용주가 오늘 푼 문제 수를 이틀 동안 똑같은 개수만큼 나누어 풀려면, 하루에 몇 개씩 풀어야 할까요?

식 : $16 \times 3 \div 2 = 24$

24 개

선생님께서 연필 7타를 6명의 학생에게 똑같게 나누어 주려고 합니다. 한 사람에게 몇 자루씩 나누어 주면 될까요?

식 : $12 \times 7 \div 6 = 14$

14 자루

문구점에서 공책 85권을 5권씩 묶어서 팔려고 합니다. 이 공책을 한 묶음에 500원씩 받고 모두 팔았습니다. 공책을 팔고 받은 돈은 모두 얼마일까요?

식 : $85 \div 5 \times 500 = 8500$

8500 원

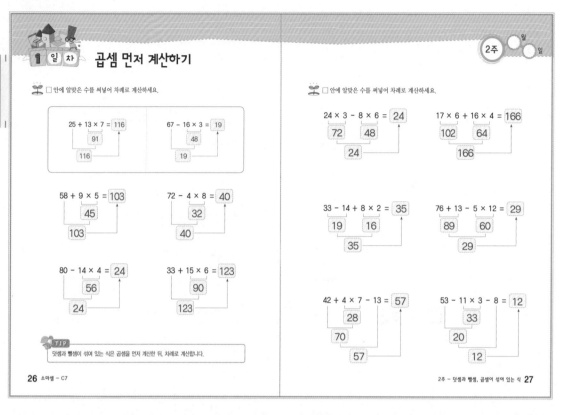

1일차 곱셈 먼저 계산하기

🌱 □안에 알맞은 수를 써넣어 차례로 계산하세요.

25 + 13 × 7 = 116
91
116

67 − 16 × 3 = 19
48
19

58 + 9 × 5 = 103
45
103

72 − 4 × 8 = 40
32
40

80 − 14 × 4 = 24
56
24

33 + 15 × 6 = 123
90
123

TIP
덧셈과 뺄셈이 섞여 있는 식은 곱셈을 먼저 계산한 뒤, 차례로 계산합니다.

26 소마셈 – C7

2주 일 일

🌱 □안에 알맞은 수를 써넣어 차례로 계산하세요.

24 × 3 − 8 × 6 = 24
72   48
24

17 × 6 + 16 × 4 = 166
102   64
166

33 − 14 + 8 × 2 = 35
19   16
35

76 + 13 − 5 × 12 = 29
89   60
29

42 + 4 × 7 − 13 = 57
28
70
57

53 − 11 × 3 − 8 = 12
33
20
12

2주 – 덧셈과 뺄셈, 곱셈이 섞여 있는 식 27

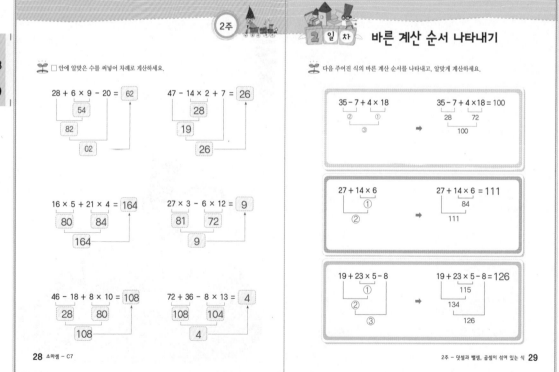

2주

🌱 □안에 알맞은 수를 써넣어 차례로 계산하세요.

28 + 6 × 9 − 20 = 62
54
82
62

47 − 14 × 2 + 7 = 26
28
19
26

16 × 5 + 21 × 4 = 164
80   84
164

27 × 3 − 6 × 12 = 9
81   72
9

46 − 18 + 8 × 10 = 108
28   80
108

72 + 36 − 8 × 13 = 4
108   104
4

28 소마셈 – C7

2일차 바른 계산 순서 나타내기

🌱 다음 주어진 식의 바른 계산 순서를 나타내고, 알맞게 계산하세요.

35 − 7 + 4 × 18
② ①
③
➡ 35 − 7 + 4 × 18 = 100
28   72
100

27 + 14 × 6
①
②
➡ 27 + 14 × 6 = 111
84
111

19 + 23 × 5 − 8
①
②
③
➡ 19 + 23 × 5 − 8 = 126
115
134
126

2주 – 덧셈과 뺄셈, 곱셈이 섞여 있는 식 29

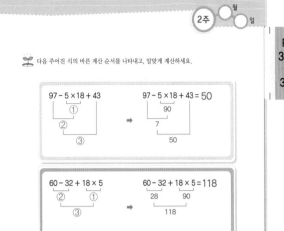
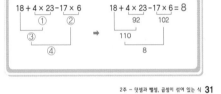
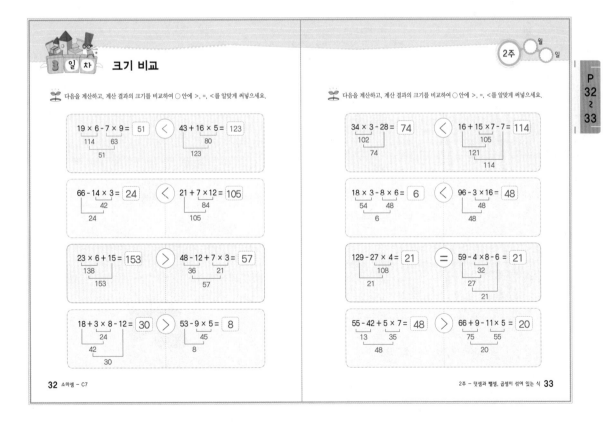

신나는 연산!

다음 주어진 식의 바른 계산 순서를 나타내고, 알맞게 계산하세요.

163 − 7 × 16
①
②
⇒
163 − 7 × 16 = 51
112
51

75 − 19 × 3 + 23
①
②
③
⇒
75 − 19 × 3 + 23 = 41
57
18
41

31 × 5 − 27 × 4
①　②
③
⇒
31 × 5 − 27 × 4 = 47
155　108
47

2주

다음 주어진 식의 바른 계산 순서를 나타내고, 알맞게 계산하세요.

97 − 5 × 18 + 43
①
②
③
⇒
97 − 5 × 18 + 43 = 50
90
7
50

60 − 32 + 18 × 5
②　①
③
⇒
60 − 32 + 18 × 5 = 118
28　90
118

18 + 4 × 23 − 17 × 6
①　②
③
④
⇒
18 + 4 × 23 − 17 × 6 = 8
92　102
110
8

3 일 차 크기 비교

2주

다음을 계산하고, 계산 결과의 크기를 비교하여 ○안에 >, =, <를 알맞게 써넣으세요.

19 × 6 − 7 × 9 = 51　<　43 + 16 × 5 = 123
114　63　　　　　　80
51　　　　　　　　　123

66 − 14 × 3 = 24　<　21 + 7 × 12 = 105
42　　　　　　　84
24　　　　　　　105

23 × 6 + 15 = 153　>　48 − 12 + 7 × 3 = 57
138　　　　　　36　　21
153　　　　　　57

18 + 3 × 8 − 12 = 30　>　53 − 9 × 5 = 8
24　　　　　45
42　　　　　8
30

다음을 계산하고, 계산 결과의 크기를 비교하여 ○안에 >, =, <를 알맞게 써넣으세요.

34 × 3 − 28 = 74　<　16 + 15 × 7 − 7 = 114
102　　　　　　105
74　　　　　　121
114

18 × 3 − 8 × 6 = 6　<　96 − 3 × 16 = 48
54　48　　　　　48
6　　　　　　　48

129 − 27 × 4 = 21　=　59 − 4 × 8 − 6 = 21
108　　　　　　32
21　　　　　　27
21

55 − 42 + 5 × 7 = 48　>　66 + 9 − 11 × 5 = 20
13　35　　　　　75　55
48　　　　　　　20

정답

4일차 혼합 계산 퍼즐

🌱 계산 결과가 같은 것끼리 선으로 이어 보세요.

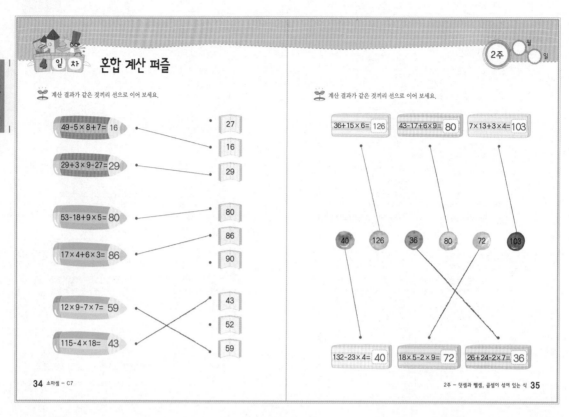

49-5×8+7= 16

29+3×9-27=29

53-18+9×5=80

17×4+6×3= 86

12×9-7×7= 59

115-4×18= 43

27
16
29

80
86
90

43
52
59

🌱 계산 결과가 같은 것끼리 선으로 이어 보세요.

36+15×6= 126   43-17+6×9= 80   7×13+3×4=103

40   126   36   80   72   103

132-23×4= 40   18×5-2×9= 72   26+24-2×7= 36

34 소마셈 - C7

2주 - 덧셈과 뺄셈, 곱셈이 섞여 있는 식 **35**

5일차 문장제

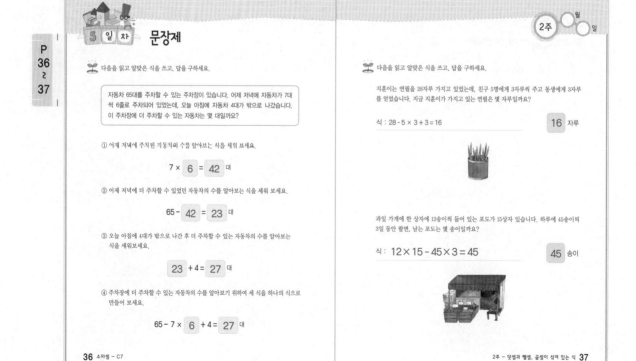

🌱 다음을 읽고 알맞은 식을 쓰고, 답을 구하세요.

자동차 65대를 주차할 수 있는 주차장이 있습니다. 어제 저녁에 자동차가 7대씩 6줄로 주차되어 있었는데, 오늘 아침에 자동차 4대가 밖으로 나갔습니다. 이 주차장에 더 주차할 수 있는 자동차는 몇 대일까요?

① 어제 저녁에 주차된 자동차의 수를 알아보는 식을 세워 보세요.

$$7 × 6 = 42 \text{ 대}$$

② 어제 저녁에 더 주차할 수 있었던 자동차의 수를 알아보는 식을 세워 보세요.

$$65 - 42 = 23 \text{ 대}$$

③ 오늘 아침에 4대가 밖으로 나간 후 더 주차할 수 있는 자동차의 수를 알아보는 식을 세워보세요.

$$23 + 4 = 27 \text{ 대}$$

④ 주차장에 더 주차할 수 있는 자동차의 수를 알아보기 위하여 세 식을 하나의 식으로 만들어 보세요.

$$65 - 7 × 6 + 4 = 27 \text{ 대}$$

🌱 다음을 읽고 알맞은 식을 쓰고, 답을 구하세요.

지훈이는 연필을 28자루 가지고 있는데, 친구 5명에게 3자루씩 주고 동생에게 3자루를 얻었습니다. 지금 지훈이가 가지고 있는 연필은 몇 자루일까요?

식 : $28 - 5 × 3 + 3 = 16$

16 자루

과일 가게에 한 상자에 12송이씩 들어 있는 포도가 15상자 있습니다. 하루에 45송이씩 3일 동안 팔면, 남는 포도는 몇 송이일까요?

식 : $12 × 15 - 45 × 3 = 45$

45 송이

36 소마셈 - C7

2주 - 덧셈과 뺄셈, 곱셈이 섞여 있는 식 **37**

신나는 연산!

다음을 읽고 알맞은 식을 쓰고, 답을 구하세요.

인수는 구슬 18개를 가지고 있고, 민호는 인수가 가진 구슬의 3배만큼 가지고 있습니다. 수영이가 65개를 가지고 있다면, 수영이가 가진 구슬은 민호보다 몇 개 더 많을까요?

식 : $65 - 18 \times 3 = 11$　　11 개

선영이는 공책을 32권 가지고 있습니다. 친구 3명에게 4권씩 주고, 언니에게도 3권을 주었습니다. 지금 선영이가 가지고 있는 공책은 몇 권일까요?

식 : $32 - 3 \times 4 - 3 = 17$　　17 권

과수원에서 한 상자에 14개씩 들어 있는 사과를 30상자 수확했습니다. 하루에 45개씩 6일 동안 팔면, 남는 사과는 몇 개일까요?

식 : $14 \times 30 - 45 \times 6 = 150$　　150 개

38 소마셈 – C7

2주

다음을 읽고 알맞은 식을 쓰고, 답을 구하세요.

혜정이와 언니가 각각 사탕을 가지고 있습니다. 혜정이는 17개를 가지고 있고, 언니가 가진 사탕은 3개씩 주머니에 담았더니 8개의 주머니가 되었습니다. 혜정이와 언니가 가진 사탕은 모두 몇 개일까요?

식 : $17 + 3 \times 8 = 41$　　41 개

현우는 칭찬 스티커를 13개씩 15일 동안 모았고, 정은이는 21개씩 9일 동안 모았습니다. 현우가 모은 칭찬 스티커는 정은이보다 몇 개 더 많을까요?

식 : $13 \times 15 - 21 \times 9 = 6$　　6 개

민영이는 어제 용돈을 1500원 받아서 200원짜리 지우개를 4개 샀습니다. 오늘은 남은 돈으로 300원짜리 사탕을 한 개 샀습니다. 민영이가 지금 가지고 있는 돈은 얼마일까요?

식 : $1500 - 200 \times 4 - 300 = 400$　　400 원

2주 – 덧셈과 뺄셈, 곱셈이 섞여 있는 식 39

---

1 일 차　나눗셈 먼저 계산하기

3주 　일　일

□ 안에 알맞은 수를 써넣어 차례로 계산하세요.

$81 - 78 \div 6 = 68$　　　$92 \div 4 - 15 = 8$
　　　13　　　　　　　　23
　　　68　　　　　　　　8

$54 - 72 \div 8 = 45$　　　$37 + 72 \div 3 = 61$
　　　9　　　　　　　　24
　　　45　　　　　　　　61

$96 \div 6 - 14 = 2$　　　$84 \div 7 + 25 = 37$
　　16　　　　　　　　12
　　2　　　　　　　　37

TIP
덧셈과 뺄셈, 나눗셈이 섞여 있는 식은 나눗셈을 먼저 계산한 뒤, 차례로 계산합니다.

42 소마셈 – C7

□ 안에 알맞은 수를 써넣어 차례로 계산하세요.

$48 \div 8 + 54 \div 6 = 15$　　　$52 \div 4 - 45 \div 5 = 4$
　6　　　9　　　　　　　13　　9
　　　15　　　　　　　　　4

$62 - 28 + 49 \div 7 = 41$　　　$35 + 27 - 63 \div 9 = 55$
　34　　　7　　　　　　　62　　7
　　　41　　　　　　　　　55

$26 + 40 \div 8 - 18 = 13$　　　$53 - 56 \div 8 - 7 = 39$
　　　5　　　　　　　　　7
　31　　　　　　　　　46
　　　13　　　　　　　　39

3주 – 덧셈과 뺄셈, 나눗셈이 섞여 있는 식 43

정답 **115**

□ 안에 알맞은 수를 써넣어 차례로 계산하세요.

26 - 42 ÷ 3 + 38 = 50
14
12
50

72 + 15 ÷ 5 - 48 = 27
3
75
27

24 ÷ 6 + 54 ÷ 2 = 31
4   27
31

57 ÷ 3 - 56 ÷ 7 = 11
19   8
11

50 - 19 + 60 ÷ 12 = 36
31   5
36

68 + 22 - 56 ÷ 2 = 62
90   28
62

44 소마셈 – C7

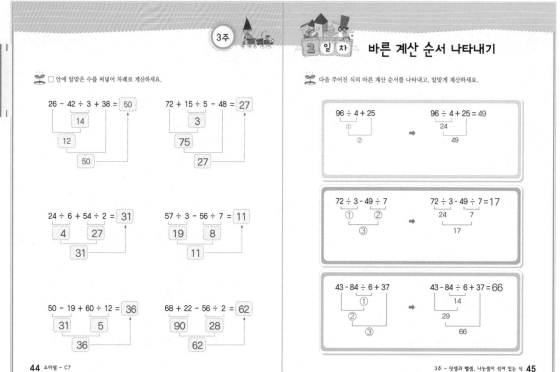

2일차 바른 계산 순서 나타내기

다음 주어진 식의 바른 계산 순서를 나타내고, 알맞게 계산하세요.

96 ÷ 4 + 25
①
②
⇒ 96 ÷ 4 + 25 = 49
24
49

72 ÷ 3 - 49 ÷ 7
①   ②
③
⇒ 72 ÷ 3 - 49 ÷ 7 = 17
24   7
17

43 - 84 ÷ 6 + 37
①
②
③
⇒ 43 - 84 ÷ 6 + 37 = 66
14
29
66

3주 – 덧셈과 뺄셈, 나눗셈이 섞여 있는 식 45

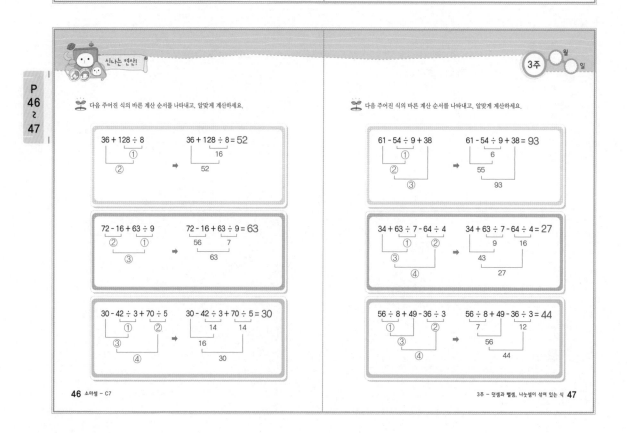

신나는 연산!

다음 주어진 식의 바른 계산 순서를 나타내고, 알맞게 계산하세요.

36 + 128 ÷ 8
①
②
⇒ 36 + 128 ÷ 8 = 52
16
52

72 - 16 + 63 ÷ 9
②   ①
③
⇒ 72 - 16 + 63 ÷ 9 = 63
56   7
63

30 - 42 ÷ 3 + 70 ÷ 5
①   ②
③
④
⇒ 30 - 42 ÷ 3 + 70 ÷ 5 = 30
14   14
16
30

46 소마셈 – C7

3주

다음 주어진 식의 바른 계산 순서를 나타내고, 알맞게 계산하세요.

61 - 54 ÷ 9 + 38
①
②
③
⇒ 61 - 54 ÷ 9 + 38 = 93
6
55
93

34 + 63 ÷ 7 - 64 ÷ 4
①   ②
③
④
⇒ 34 + 63 ÷ 7 - 64 ÷ 4 = 27
9   16
43
27

56 ÷ 8 + 49 - 36 ÷ 3
①   ②
③
④
⇒ 56 ÷ 8 + 49 - 36 ÷ 3 = 44
7   12
56
44

3주 – 덧셈과 뺄셈, 나눗셈이 섞여 있는 식 47

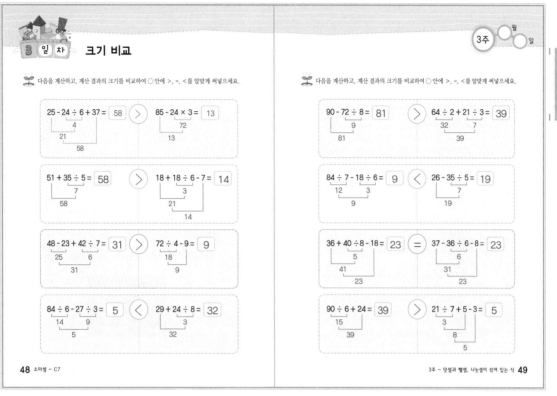

3 일 차 크기 비교

다음을 계산하고, 계산 결과의 크기를 비교하여 ○안에 >, =, <를 알맞게 써넣으세요.

$25 - 24 \div 6 + 37 =$ [58] (>) $85 - 24 \times 3 =$ [13]
4
21
58

72
13

$51 + 35 \div 5 =$ [58] (>) $18 + 18 \div 6 - 7 =$ [14]
7
58

21
14

$48 - 23 + 42 \div 7 =$ [31] (>) $72 \div 4 - 9 =$ [9]
25   6
31

18
9

$84 \div 6 - 27 \div 3 =$ [5] (<) $29 + 24 \div 8 =$ [32]
14   9
5

3
32

3주

다음을 계산하고, 계산 결과의 크기를 비교하여 ○안에 >, =, <를 알맞게 써넣으세요.

$90 - 72 \div 8 =$ [81] (>) $64 \div 2 + 21 \div 3 =$ [39]
9
81

32   7

$84 \div 7 - 18 \div 6 =$ [9] (<) $26 - 35 \div 5 =$ [19]
12   3
9

7
19

$36 + 40 \div 8 - 18 =$ [23] (=) $37 - 36 \div 6 - 8 =$ [23]
5
41
23

6
31
23

$90 \div 6 + 24 =$ [39] (>) $21 \div 7 + 5 - 3 =$ [5]
15
39

3
8
5

48 소마셈 - C7

3주 - 덧셈과 뺄셈, 나눗셈이 섞여 있는 식 49

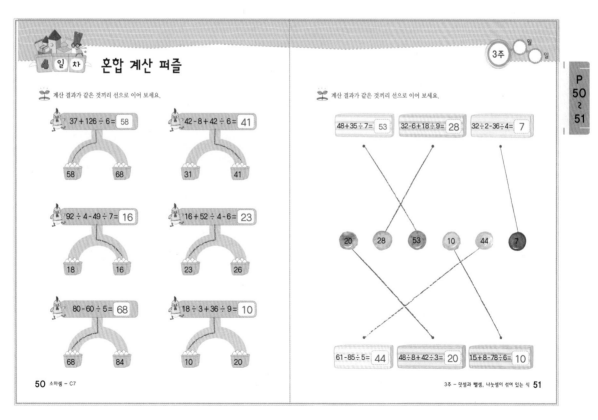

4 일 차 혼합 계산 퍼즐

계산 결과가 같은 것끼리 선으로 이어 보세요.

$37 + 126 \div 6 =$ [58] $42 - 8 + 42 \div 6 =$ [41]

58   68   31   41

$92 \div 4 - 49 \div 7 =$ [16] $16 + 52 \div 4 - 6 =$ [23]

18   16   23   26

$80 - 60 \div 5 =$ [68] $18 \div 3 + 36 \div 9 =$ [10]

68   84   10   20

3주

계산 결과가 같은 것끼리 선으로 이어 보세요.

$48 + 35 \div 7 =$ [53] $32 - 6 + 18 \div 9 =$ [28] $32 \div 2 - 36 \div 4 =$ [7]

20   28   53   10   44   7

$61 - 85 \div 5 =$ [44] $48 \div 8 + 42 \div 3 =$ [20] $15 + 8 - 78 \div 6 =$ [10]

50 소마셈 - C7

3주 - 덧셈과 뺄셈, 나눗셈이 섞여 있는 식 51

정답 **117**

5 일 차 문장제

🌱 다음을 읽고 알맞은 식을 쓰고, 답을 구하세요.

어느 생선가게에서는 생선 5마리를 3000원에 파는데 오후 7시부터는 할인을 하여 생선 4마리를 2200원에 팝니다. 생선 1마리는 오후 7시 이후가 오후 7시 이전보다 얼마나 더 쌀까요?

① 오후 7시 이전에 생선 1마리의 가격을 알아보는 식을 세워 보세요.

$$3000 \div 5 = 600 \text{ 원}$$

② 오후 7시 이후에 생선 1마리의 가격을 알아보는 식을 세워 보세요.

$$2200 \div 4 = 550 \text{ 원}$$

③ 생선 1마리는 오후 7시 이후가 오후 7시 이전보다 얼마나 더 싼지 알아보는 식을 세워 보세요.

$$600 - 550 = 50 \text{ 원}$$

④ 생선 1마리는 오후 7시 이후가 오후 7시 이전보다 얼마나 더 싼지 알아보기 위하여 세 식을 하나의 식으로 만들어 보세요.

$$3000 \div 5 - 2200 \div 4 = 50 \text{ 원}$$

🌱 다음을 읽고 알맞은 식을 쓰고, 답을 구하세요.

연필 1자루의 무게는 30g이고, 지우개 2개의 무게는 80g, 자 1개의 무게는 20g입니다. 연필 1자루와 지우개 1개를 더한 무게는 자 1개의 무게보다 몇 g 더 무거울까요?

식 : $30 + 80 \div 2 - 20 = 50$ 50 g

사탕 45개는 한 봉지에 5개씩 넣고, 초콜렛 24개는 한 봉지에 6개씩 넣었습니다. 사탕과 초콜렛을 넣은 봉지는 모두 몇 봉지일까요?

식 : $45 \div 5 + 24 \div 6 = 13$ 13 봉지

🌱 다음을 읽고 알맞은 식을 쓰고, 답을 구하세요.

선생님은 구슬 54개를 정근이와 형주에게 똑같이 나누어 주었습니다. 정근이는 자신이 받은 구슬 중 18개를 동생에게 주었습니다. 정근이에게 남은 구슬은 몇 개일까요?

식 : $54 \div 2 - 18 = 9$ 9 개

귤 24개는 한 봉지에 4개씩 넣고, 자두 49개는 한 봉지에 7개씩 넣었습니다. 귤과 자두를 넣은 봉지는 모두 몇 봉지일까요?

식 : $24 \div 4 + 49 \div 7 = 13$ 13 봉지

색종이 1장의 무게는 25g이고, 색연필 3자루의 무게는 75g, 볼펜 1자루의 무게는 40g입니다. 색종이 1장과 색연필 1자루를 더한 무게는 볼펜 1자루의 무게보다 몇 g 더 무거울까요?

식 : $25 + 75 \div 3 - 40 = 10$ 10 g

🌱 다음을 읽고 알맞은 식을 쓰고, 답을 구하세요.

사과 2개의 무게는 50g이고, 배 1개의 무게는 30g, 감 1개의 무게는 28g입니다. 사과 1개와 배 1개를 더한 무게는 감 1개의 무게보다 몇 g 더 무거울까요?

식 : $50 \div 2 + 30 - 28 = 27$ 27 g

엄마께서 색종이 75장을 언니, 동생, 오빠에게 똑같이 나누어 주셨습니다. 언니는 원래 색종이 5장이 있었기 때문에 동생과 오빠보다 5장을 더 가지게 되었습니다. 언니가 가지고 있는 색종이는 모두 몇 장일까요?

식 : $75 \div 3 + 5 = 30$ 30 장

가게에서 ㉮ 빵은 5개에 3500원이고, ㉯ 빵은 3개에 2400원에 팝니다. ㉯ 빵 1개는 ㉮ 빵 1개보다 얼마나 더 비쌀까요?

식 : $2400 \div 3 - 3500 \div 5 = 100$ 100 원

1일차 곱셈이나 나눗셈 먼저 계산하기

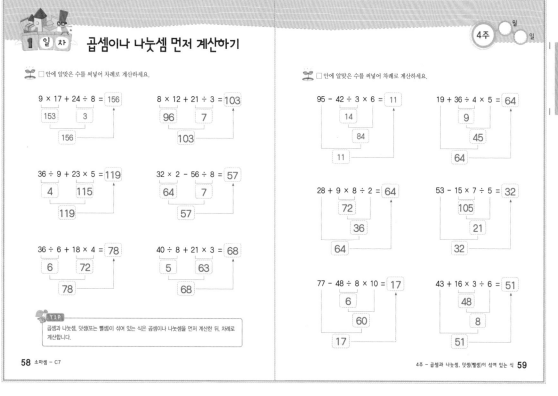

2일차 바른 계산 순서 나타내기

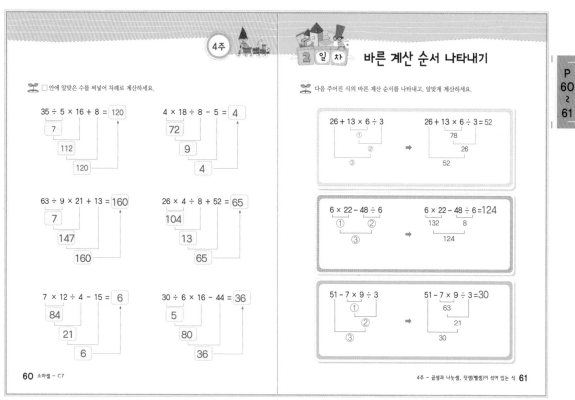

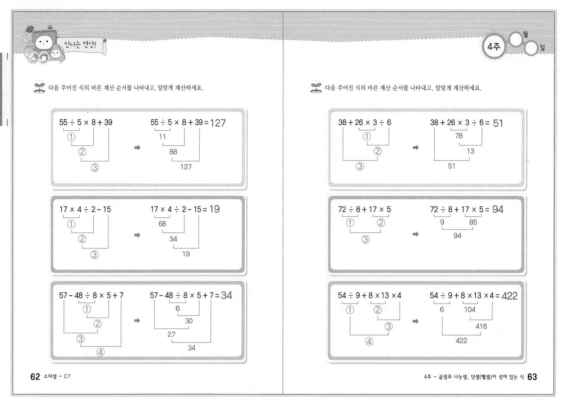

다음 주어진 식의 바른 계산 순서를 나타내고, 알맞게 계산하세요.

$55 \div 5 \times 8 + 39$ ① ② ③ ➡ $55 \div 5 \times 8 + 39 = 127$ 11 88 127

$17 \times 4 \div 2 - 15$ ① ② ③ ➡ $17 \times 4 \div 2 - 15 = 19$ 68 34 19

$57 - 48 \div 8 \times 5 + 7$ ① ② ③ ④ ➡ $57 - 48 \div 8 \times 5 + 7 = 34$ 6 30 27 34

다음 주어진 식의 바른 계산 순서를 나타내고, 알맞게 계산하세요.

$38 + 26 \times 3 \div 6$ ① ② ③ ➡ $38 + 26 \times 3 \div 6 = 51$ 78 13 51

$72 \div 8 + 17 \times 5$ ① ② ③ ➡ $72 \div 8 + 17 \times 5 = 94$ 9 85 94

$54 \div 9 + 8 \times 13 \times 4$ ① ② ③ ④ ➡ $54 \div 9 + 8 \times 13 \times 4 = 422$ 6 104 416 422

3 일 차   크기 비교

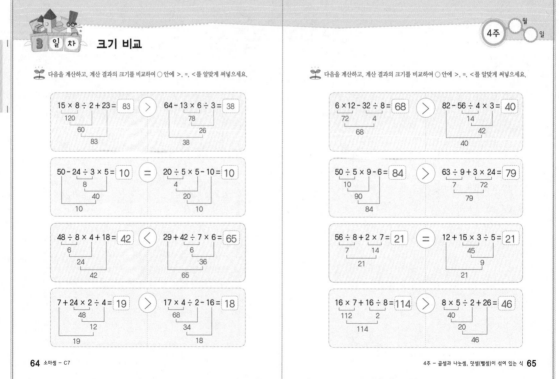

다음을 계산하고, 계산 결과의 크기를 비교하여 ○안에 >, =, <를 알맞게 써넣으세요.

$15 \times 8 \div 2 + 23 = 83$ > $64 - 13 \times 6 \div 3 = 38$
120 / 60 / 83   78 / 26 / 38

$50 - 24 \div 3 \times 5 = 10$ = $20 \div 5 \times 5 - 10 = 10$
8 / 40 / 10   4 / 20 / 10

$48 \div 8 \times 4 + 18 = 42$ < $29 + 42 \div 7 \times 6 = 65$
6 / 24 / 42   6 / 36 / 65

$7 + 24 \times 2 \div 4 = 19$ > $17 \times 4 \div 2 - 16 = 18$
48 / 12 / 19   68 / 34 / 18

다음을 계산하고, 계산 결과의 크기를 비교하여 ○안에 >, =, <를 알맞게 써넣으세요.

$6 \times 12 - 32 \div 8 = 68$ > $82 - 56 \div 4 \times 3 = 40$
72 / 4 / 68   14 / 42 / 40

$50 \div 5 \times 9 - 6 = 84$ > $63 \div 9 + 3 \times 24 = 79$
10 / 90 / 84   7 / 72 / 79

$56 \div 8 + 2 \times 7 = 21$ = $12 + 15 \times 3 \div 5 = 21$
7 / 14 / 21   45 / 9 / 21

$16 \times 7 + 16 \div 8 = 114$ > $8 \times 5 \div 2 + 26 = 46$
112 / 2 / 114   40 / 20 / 46

4 일 차 혼합 계산 퍼즐

🌱 계산 결과가 같은 것끼리 선으로 이어 보세요.

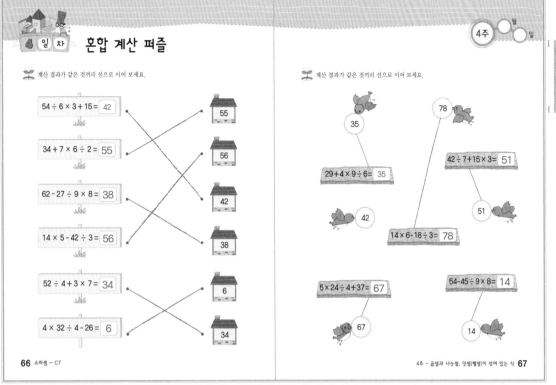

$54 \div 6 \times 3 + 15 = \boxed{42}$

$34 + 7 \times 6 \div 2 = \boxed{55}$

$62 - 27 \div 9 \times 8 = \boxed{38}$

$14 \times 5 - 42 \div 3 = \boxed{56}$

$52 \div 4 + 3 \times 7 = \boxed{34}$

$4 \times 32 \div 4 - 26 = \boxed{6}$

55
56
42
38
6
34

🌱 계산 결과가 같은 것끼리 선으로 이어 보세요.

35   78

$29 + 4 \times 9 \div 6 = \boxed{35}$

$42 \div 7 + 15 \times 3 = \boxed{51}$

42   51

$14 \times 6 - 18 \div 3 = \boxed{78}$

$5 \times 24 \div 4 + 37 = \boxed{67}$

$54 - 45 \div 9 \times 8 = \boxed{14}$

67   14

66 소마셈 – C7

4주 – 곱셈과 나눗셈, 덧셈(뺄셈)이 섞여 있는 식 67

---

5 일 차 문장제

🌱 다음을 읽고 알맞은 식을 쓰고, 답을 구하세요.

효준이와 현규가 귤 38개를 똑같이 나누어 가졌습니다. 효준이가 현규와 나누어 가진 귤을 가지고 집에 돌아오니 귤이 5개씩 5묶음 더 있었습니다. 효준이네 집에 있는 귤은 모두 몇 개일까요?

① 효준이가 현규와 나누어 가진 귤의 개수를 알아보는 식을 세워 보세요.

$$38 \div \boxed{2} = \boxed{19} \text{ 개}$$

② 효준이네 집에 있던 귤의 개수를 알아보는 식을 세워 보세요.

$$5 \times \boxed{5} = \boxed{25} \text{ 개}$$

③ 효준이가 현규와 나누어 가진 귤과 집에 있던 귤의 개수의 합을 알아보는 식을 세워 보세요.

$$\boxed{19} + \boxed{25} = \boxed{44} \text{ 개}$$

④ 효준이가 현규와 나누어 가진 귤과 집에 있던 귤의 개수의 합을 알아보기 위하여 세 식을 하나의 식으로 만들어 보세요.

$$38 \div \boxed{2} + 5 \times \boxed{5} = \boxed{44} \text{ 개}$$

🌱 다음을 읽고 알맞은 식을 쓰고, 답을 구하세요.

지우와 친구들, 모두 5명이 사탕 45개를 똑같이 나누어 가졌습니다. 지우가 친구들과 나누어 가진 사탕을 가지고 집에 오니, 언니가 사탕 7개씩 2묶음을 더 주었습니다. 지우가 가진 사탕은 모두 몇 개일까요?

식 : $45 \div 5 + 7 \times 2 = 23$ $\boxed{23}$ 개

호진이네 반 친구들은 15명씩 6조로 나누어 공원 청소를 하러 갔습니다. 그런데 나무를 심는 데 사람이 필요해서 절반의 친구들이 나무를 심으러 갔고, 잠시 후 세 사람이 더 돕기 위해 갔습니다. 남은 학생은 몇 명일까요?

식 : $15 \times 6 \div 2 - 3 = 42$ $\boxed{42}$ 명

68 소마셈 – C7

4주 – 곱셈과 나눗셈, 덧셈(뺄셈)이 섞여 있는 식 69

정답 **121**

P
70
~
71

신나는 연산!

다음을 읽고 알맞은 식을 쓰고, 답을 구하세요.

사탕이 16개씩 8봉지가 있습니다. 이 사탕을 연우와 친구들, 모두 4명이 나누어 가졌습니다. 연우가 나누어 가진 사탕 중 5개를 먹었다면 연우에게 남은 사탕은 몇 개일까요?

식 : $16 \times 8 \div 4 - 5 = 27$　27 개

철수네 반 친구 7명이 딱지를 12개씩 가지고 와서 딱지치기를 했습니다. 이긴 사람 두 명이 딱지를 모두 똑같이 나누어 가지기로 했는데, 철수가 이겼습니다. 그런데 철수가 집에 돌아오던 중 딱지 2개를 잃어버렸다면 철수에게 남은 딱지는 몇 개일까요?

식 : $7 \times 12 \div 2 - 2 = 40$　40 개

선생님께서 연필 45자루를 3명의 친구들에게 똑같이 나누어 주었습니다. 경주는 선생님께 받은 연필을 동생에게 4자루씩 2묶음 주었습니다. 경주에게 남은 연필은 몇 자루일까요?

식 : $45 \div 3 - 4 \times 2 = 7$　7 자루

  4주

다음을 읽고 알맞은 식을 쓰고, 답을 구하세요.

정호와 친구들은 7명씩 12조로 나뉘어 양로원에 봉사활동을 갔습니다. 그 중 절반의 친구들은 급식을 도우러 갔고, 잠시 후 4명이 더 따라 갔습니다. 남은 학생은 몇 명일까요?

식 : $7 \times 12 \div 2 - 4 = 38$　38 명

재우와 친구들, 모두 4명이 구슬 68개를 똑같이 나누어 가졌습니다. 재우의 형이 재우에게 구슬을 9개씩 3묶음 더 주었다면, 재우가 가진 구슬은 모두 몇 개일까요?

식 : $68 \div 4 + 9 \times 3 = 44$　44 개

지하철에 사람들이 한 칸에 38명씩 모두 8칸에 타고 있습니다. 다음 정거장에서 절반의 사람이 내리고 26명이 더 탔습니다. 지하철에 타고 있는 사람은 모두 몇 명일까요?

식 : $38 \times 8 \div 2 + 26 = 178$　178 명

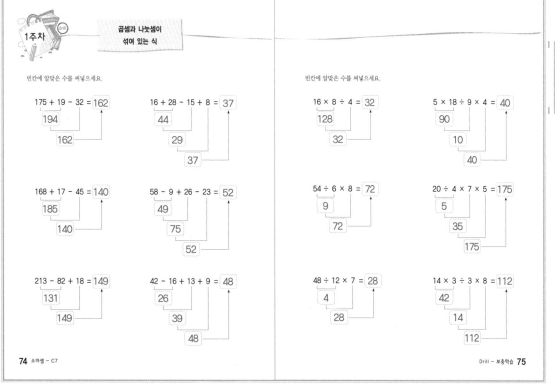

1주차 곱셈과 나눗셈이 섞여 있는 식

빈칸에 알맞은 수를 써넣으세요.

175 + 19 - 32 = 162
194
162

16 + 28 - 15 + 8 = 37
44
29
37

168 + 17 - 45 = 140
185
140

58 - 9 + 26 - 23 = 52
49
75
52

213 - 82 + 18 = 149
131
149

42 - 16 + 13 + 9 = 48
26
39
48

빈칸에 알맞은 수를 써넣으세요.

16 × 8 ÷ 4 = 32
128
32

5 × 18 ÷ 9 × 4 = 40
90
10
40

54 ÷ 6 × 8 = 72
9
72

20 ÷ 4 × 7 × 5 = 175
5
35
175

48 ÷ 12 × 7 = 28
4
28

14 × 3 ÷ 3 × 8 = 112
42
14
112

74 소마셈 - C7

Drill - 보충학습 75

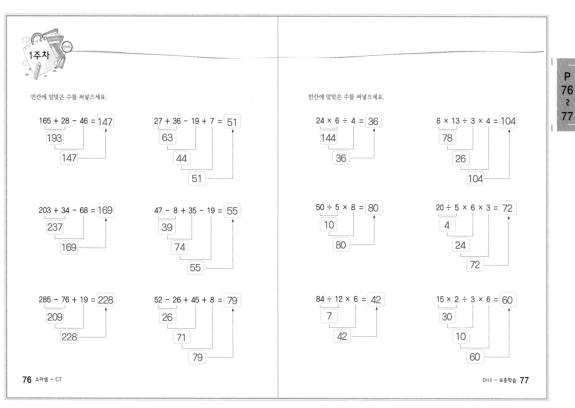

1주차

빈칸에 알맞은 수를 써넣으세요.

165 + 28 - 46 = 147
193
147

27 + 36 - 19 + 7 = 51
63
44
51

203 + 34 - 68 = 169
237
169

47 - 8 + 35 - 19 = 55
39
74
55

285 - 76 + 19 = 228
209
228

52 - 26 + 45 + 8 = 79
26
71
79

빈칸에 알맞은 수를 써넣으세요.

24 × 6 ÷ 4 = 36
144
36

6 × 13 ÷ 3 × 4 = 104
78
26
104

50 ÷ 5 × 8 = 80
10
80

20 ÷ 5 × 6 × 3 = 72
4
24
72

84 ÷ 12 × 6 = 42
7
42

15 × 2 ÷ 3 × 6 = 60
30
10
60

76 소마셈 - C7

Drill - 보충학습 77

정답

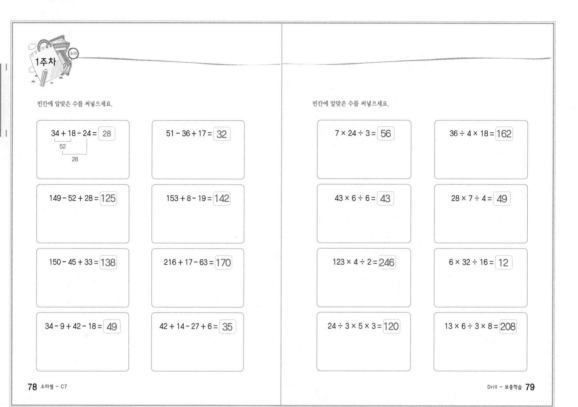

1주차

빈칸에 알맞은 수를 써넣으세요.

$34 + 18 - 24 = \boxed{28}$
52
28

$51 - 36 + 17 = \boxed{32}$

$149 - 52 + 28 = \boxed{125}$

$153 + 8 - 19 = \boxed{142}$

$150 - 45 + 33 = \boxed{138}$

$216 + 17 - 63 = \boxed{170}$

$34 - 9 + 42 - 18 = \boxed{49}$

$42 + 14 - 27 + 6 = \boxed{35}$

빈칸에 알맞은 수를 써넣으세요.

$7 \times 24 \div 3 = \boxed{56}$

$36 \div 4 \times 18 = \boxed{162}$

$43 \times 6 \div 6 = \boxed{43}$

$28 \times 7 \div 4 = \boxed{49}$

$123 \times 4 \div 2 = \boxed{246}$

$6 \times 32 \div 16 = \boxed{12}$

$24 \div 3 \times 5 \times 3 = \boxed{120}$

$13 \times 6 \div 3 \times 8 = \boxed{208}$

78 소마셈 – C7

Drill – 보충학습 **79**

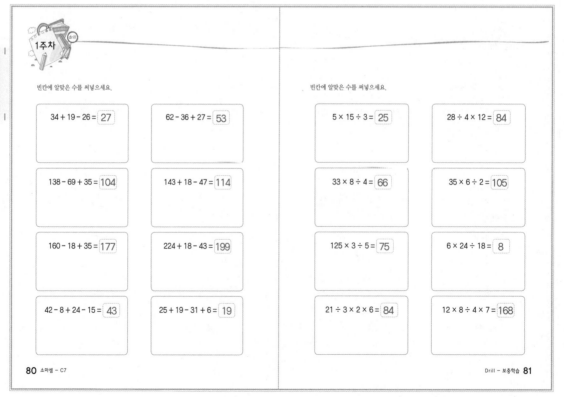

1주차

빈칸에 알맞은 수를 써넣으세요.

$34 + 19 - 26 = \boxed{27}$

$62 - 36 + 27 = \boxed{53}$

$138 - 69 + 35 = \boxed{104}$

$143 + 18 - 47 = \boxed{114}$

$160 - 18 + 35 = \boxed{177}$

$224 + 18 - 43 = \boxed{199}$

$42 - 8 + 24 - 15 = \boxed{43}$

$25 + 19 - 31 + 6 = \boxed{19}$

빈칸에 알맞은 수를 써넣으세요.

$5 \times 15 \div 3 = \boxed{25}$

$28 \div 4 \times 12 = \boxed{84}$

$33 \times 8 \div 4 = \boxed{66}$

$35 \times 6 \div 2 = \boxed{105}$

$125 \times 3 \div 5 = \boxed{75}$

$6 \times 24 \div 18 = \boxed{8}$

$21 \div 3 \times 2 \times 6 = \boxed{84}$

$12 \times 8 \div 4 \times 7 = \boxed{168}$

80 소마셈 – C7

Drill – 보충학습 **81**

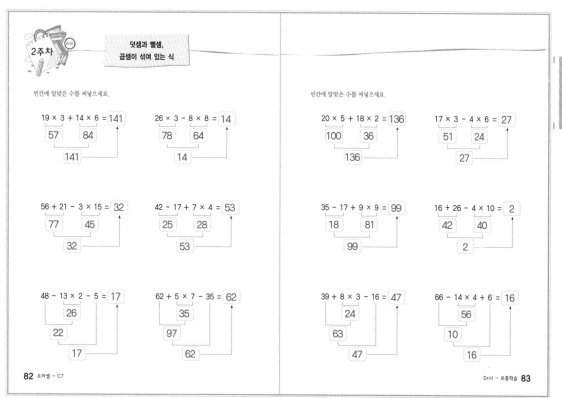

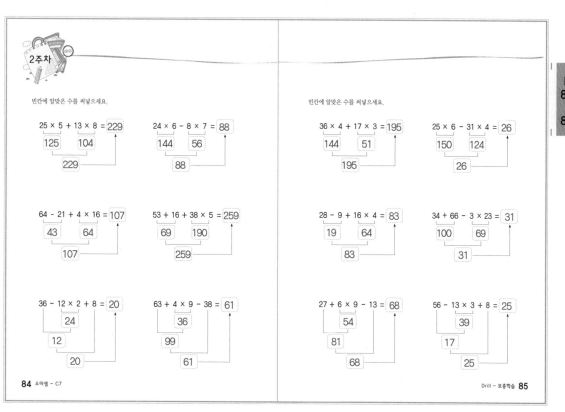

P 86 ~ 87

2주차

빈칸에 알맞은 수를 써넣으세요.

$14 + 17 \times 5 = \boxed{99}$

$36 + 12 \times 7 = \boxed{120}$

$65 - 14 \times 4 = \boxed{9}$

$98 - 22 \times 3 = \boxed{32}$

$16 + 7 \times 5 - 14 = \boxed{37}$

$62 - 12 + 6 \times 8 = \boxed{98}$

$24 + 3 \times 8 + 13 = \boxed{61}$

$27 - 2 \times 9 + 16 = \boxed{25}$

86 소마셈 – C7

빈칸에 알맞은 수를 써넣으세요.

$34 \times 4 - 21 = \boxed{115}$

$18 + 24 \times 5 = \boxed{138}$

$84 - 3 \times 15 = \boxed{39}$

$72 - 4 \times 14 = \boxed{16}$

$17 \times 3 - 5 \times 6 = \boxed{21}$

$21 + 12 \times 8 - 7 = \boxed{110}$

$55 - 4 \times 6 - 13 = \boxed{18}$

$86 + 9 - 11 \times 6 = \boxed{29}$

Drill – 보충학습 87

P 88 ~ 89

2주차

빈칸에 알맞은 수를 써넣으세요.

$16 + 23 \times 4 = \boxed{108}$

$38 + 13 \times 7 = \boxed{129}$

$74 - 13 \times 3 = \boxed{35}$

$86 - 23 \times 3 = \boxed{17}$

$14 + 7 \times 4 - 13 = \boxed{29}$

$53 - 12 + 6 \times 9 = \boxed{95}$

$21 + 3 \times 9 + 16 = \boxed{64}$

$28 - 3 \times 5 + 14 = \boxed{27}$

88 소마셈 – C7

빈칸에 알맞은 수를 써넣으세요.

$45 \times 3 - 14 = \boxed{121}$

$17 + 25 \times 6 = \boxed{167}$

$90 - 6 \times 13 = \boxed{12}$

$81 - 12 \times 4 = \boxed{33}$

$16 \times 4 - 5 \times 8 = \boxed{24}$

$23 + 13 \times 7 - 6 = \boxed{108}$

$43 + 16 - 12 \times 3 = \boxed{23}$

$56 - 3 \times 9 - 12 = \boxed{17}$

Drill – 보충학습 89

3주차 덧셈과 뺄셈, 나눗셈이 섞여 있는 식

빈칸에 알맞은 수를 써넣으세요.

$51 ÷ 3 - 40 ÷ 5 = 9$
17   8
9

$56 ÷ 8 + 48 ÷ 4 = 19$
7   12
19

$25 + 35 - 54 ÷ 9 = 54$
60   6
54

$53 - 29 + 48 ÷ 6 = 32$
24   8
32

$90 - 80 ÷ 5 - 7 = 67$
16
74
67

$28 + 35 ÷ 7 - 17 = 16$
5
33
16

90 소마셈 – C7

빈칸에 알맞은 수를 써넣으세요.

$42 ÷ 6 + 56 ÷ 2 = 35$
7   28
35

$72 ÷ 3 - 72 ÷ 12 = 18$
24   6
18

$57 - 28 + 49 ÷ 7 = 36$
29   7
36

$48 + 23 - 27 ÷ 3 = 62$
71   9
62

$37 - 64 ÷ 8 + 23 = 52$
8
29
52

$26 + 30 ÷ 5 - 18 = 14$
6
32
14

Drill – 보충학습 91

3주차

빈칸에 알맞은 수를 써넣으세요.

$81 ÷ 3 - 25 ÷ 5 = 22$
27   5
22

$64 ÷ 8 + 44 ÷ 4 = 19$
8   11
19

$21 + 55 - 63 ÷ 9 = 69$
76   7
69

$39 - 15 + 64 ÷ 4 = 40$
24   16
40

$85 - 26 ÷ 2 - 9 = 63$
13
72
63

$34 + 35 ÷ 5 - 19 = 22$
7
41
22

92 소마셈 – C7

빈칸에 알맞은 수를 써넣으세요.

$45 ÷ 5 + 58 ÷ 2 = 38$
9   29
38

$64 ÷ 8 - 60 ÷ 12 = 3$
8   5
3

$51 + 38 - 99 ÷ 9 = 78$
89   11
78

$68 - 39 + 35 ÷ 5 = 36$
29   7
36

$45 - 72 ÷ 9 + 31 = 68$
8
37
68

$36 + 40 ÷ 8 - 17 = 24$
5
41
24

Drill – 보충학습 93

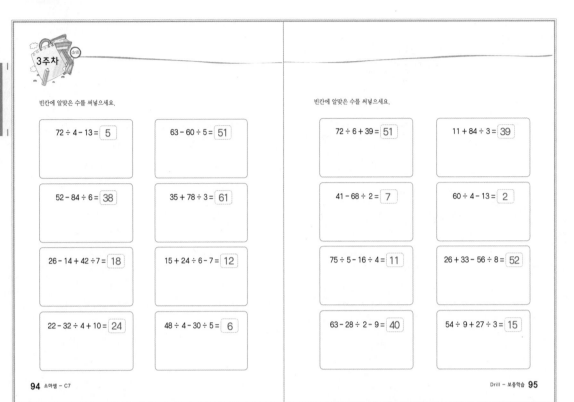

P 94 ~ 95

3주차

빈칸에 알맞은 수를 써넣으세요.

$72 \div 4 - 13 = \boxed{5}$

$63 - 60 \div 5 = \boxed{51}$

$52 - 84 \div 6 = \boxed{38}$

$35 + 78 \div 3 = \boxed{61}$

$26 - 14 + 42 \div 7 = \boxed{18}$

$15 + 24 \div 6 - 7 = \boxed{12}$

$22 - 32 \div 4 + 10 = \boxed{24}$

$48 \div 4 - 30 \div 5 = \boxed{6}$

빈칸에 알맞은 수를 써넣으세요.

$72 \div 6 + 39 = \boxed{51}$

$11 + 84 \div 3 = \boxed{39}$

$41 - 68 \div 2 = \boxed{7}$

$60 \div 4 - 13 = \boxed{2}$

$75 \div 5 - 16 \div 4 = \boxed{11}$

$26 + 33 - 56 \div 8 = \boxed{52}$

$63 - 28 \div 2 - 9 = \boxed{40}$

$54 \div 9 + 27 \div 3 = \boxed{15}$

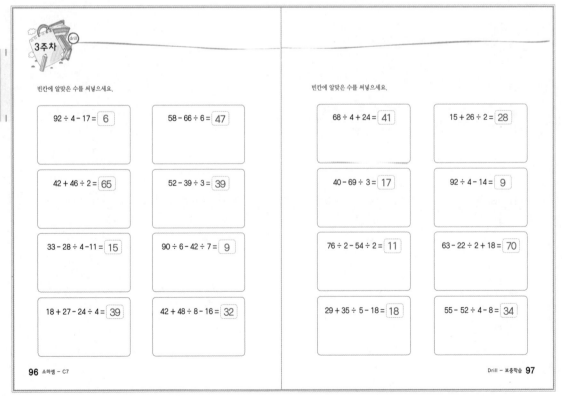

P 96 ~ 97

3주차

빈칸에 알맞은 수를 써넣으세요.

$92 \div 4 - 17 = \boxed{6}$

$58 - 66 \div 6 = \boxed{47}$

$42 + 46 \div 2 = \boxed{65}$

$52 - 39 \div 3 = \boxed{39}$

$33 - 28 \div 4 - 11 = \boxed{15}$

$90 \div 6 - 42 \div 7 = \boxed{9}$

$18 + 27 - 24 \div 4 = \boxed{39}$

$42 + 48 \div 8 - 16 = \boxed{32}$

빈칸에 알맞은 수를 써넣으세요.

$68 \div 4 + 24 = \boxed{41}$

$15 + 26 \div 2 = \boxed{28}$

$40 - 69 \div 3 = \boxed{17}$

$92 \div 4 - 14 = \boxed{9}$

$76 \div 2 - 54 \div 2 = \boxed{11}$

$63 - 22 \div 2 + 18 = \boxed{70}$

$29 + 35 \div 5 - 18 = \boxed{18}$

$55 - 52 \div 4 - 8 = \boxed{34}$

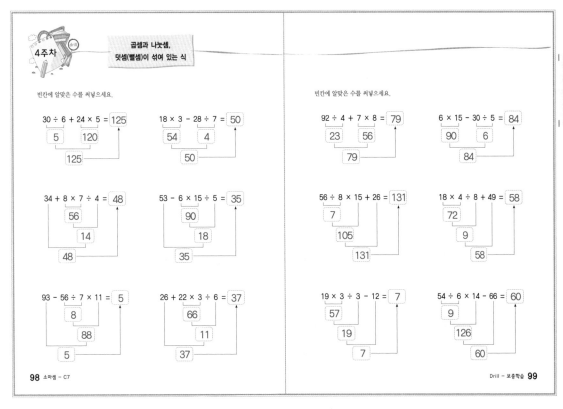

4주차 곱셈과 나눗셈, 덧셈(뺄셈)이 섞여 있는 식

빈칸에 알맞은 수를 써넣으세요.

$30 \div 6 + 24 \times 5 = 125$
5　120
125

$18 \times 3 - 28 \div 7 = 50$
54　4
50

$34 + 8 \times 7 \div 4 = 48$
56
14
48

$53 - 6 \times 15 \div 5 = 35$
90
18
35

$93 - 56 \div 7 \times 11 = 5$
8
88
5

$26 + 22 \times 3 \div 6 = 37$
66
11
37

98 소마셈 - C7

빈칸에 알맞은 수를 써넣으세요.

$92 \div 4 + 7 \times 8 = 79$
23　56
79

$6 \times 15 - 30 \div 5 = 84$
90　6
84

$56 \div 8 \times 15 + 26 = 131$
7
105
131

$18 \times 4 \div 8 + 49 = 58$
72
9
58

$19 \times 3 \div 3 - 12 = 7$
57
19
7

$54 \div 6 \times 14 - 66 = 60$
9
126
60

Drill - 보충학습 99

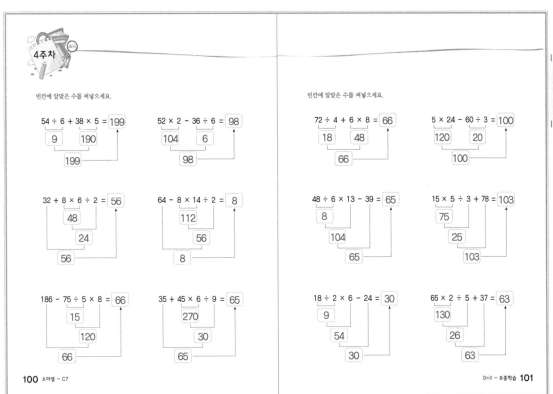

4주차

빈칸에 알맞은 수를 써넣으세요.

$54 \div 6 + 38 \times 5 = 199$
9　190
199

$52 \times 2 - 36 \div 6 = 98$
104　6
98

$32 + 8 \times 6 \div 2 = 56$
48
24
56

$64 - 8 \times 14 \div 2 = 8$
112
56
8

$186 - 75 \div 5 \times 8 = 66$
15
120
66

$35 + 45 \times 6 \div 9 = 65$
270
30
65

100 소마셈 - C7

빈칸에 알맞은 수를 써넣으세요.

$72 \div 4 + 6 \times 8 = 66$
18　48
66

$5 \times 24 - 60 \div 3 = 100$
120　20
100

$48 \div 6 \times 13 - 39 = 65$
8
104
65

$15 \times 5 \div 3 + 78 = 103$
75
25
103

$18 \div 2 \times 6 - 24 = 30$
9
54
30

$65 \times 2 \div 5 + 37 = 63$
130
26
63

Drill - 보충학습 101

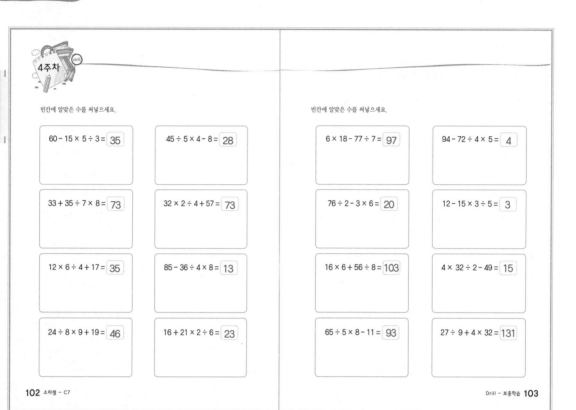

4주차 drill

빈칸에 알맞은 수를 써넣으세요.

$60 - 15 \times 5 \div 3 =$ 35

$45 \div 5 \times 4 - 8 =$ 28

$33 + 35 \div 7 \times 8 =$ 73

$32 \times 2 \div 4 + 57 =$ 73

$12 \times 6 \div 4 + 17 =$ 35

$85 - 36 \div 4 \times 8 =$ 13

$24 \div 8 \times 9 + 19 =$ 46

$16 + 21 \times 2 \div 6 =$ 23

빈칸에 알맞은 수를 써넣으세요.

$6 \times 18 - 77 \div 7 =$ 97

$94 - 72 \div 4 \times 5 =$ 4

$76 \div 2 - 3 \times 6 =$ 20

$12 - 15 \times 3 \div 5 =$ 3

$16 \times 6 + 56 \div 8 =$ 103

$4 \times 32 \div 2 - 49 =$ 15

$65 \div 5 \times 8 - 11 =$ 93

$27 \div 9 + 4 \times 32 =$ 131

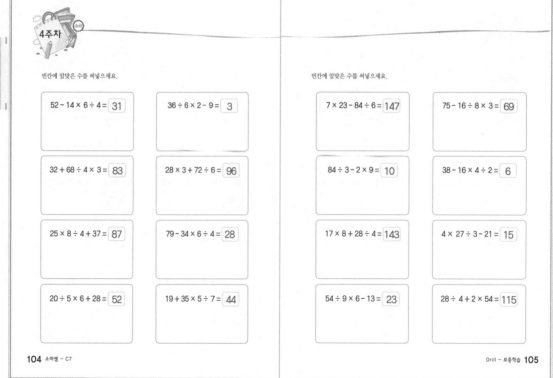

4주차 drill

빈칸에 알맞은 수를 써넣으세요.

$52 - 14 \times 6 \div 4 =$ 31

$36 \div 6 \times 2 - 9 =$ 3

$32 + 68 \div 4 \times 3 =$ 83

$28 \times 3 + 72 \div 6 =$ 96

$25 \times 8 \div 4 + 37 =$ 87

$79 - 34 \times 6 \div 4 =$ 28

$20 \div 5 \times 6 + 28 =$ 52

$19 + 35 \div 5 \times 7 =$ 44

빈칸에 알맞은 수를 써넣으세요.

$7 \times 23 - 84 \div 6 =$ 147

$75 - 16 \div 8 \times 3 =$ 69

$84 \div 3 - 2 \times 9 =$ 10

$38 - 16 \times 4 \div 2 =$ 6

$17 \times 8 + 28 \div 4 =$ 143

$4 \times 27 \div 3 - 21 =$ 15

$54 \div 9 \times 6 - 13 =$ 23

$28 \div 4 + 2 \times 54 =$ 115

Note

Note